Joe

Sonia Sarfati

Comme une peau
de chagrin

la courte échelle

Groupe d'édition la courte échelle
Division la courte échelle
4388, rue Saint-Denis, bureau 315
Montréal (Québec) H2J 2L1
www.courteechelle.com

Directrice de collection
Annie Langlois

Révision
Lise Duquette

Conception graphique de l'intérieur
Derome design inc.

Dépôt légal, 2ᵉ trimestre 2005
Bibliothèque nationale du Québec

La courte échelle reconnaît l'aide financière du gouvernement du Canada
par l'entremise du Programme d'aide au développement de l'industrie de
l'édition pour ses activités d'édition. La courte échelle est aussi inscrite au
programme de subvention globale du Conseil des Arts du Canada et reçoit
l'appui du gouvernement du Québec par l'intermédiaire de la SODEC.

La courte échelle bénéficie également du Programme de crédit d'impôt
pour l'édition de livres — Gestion SODEC — du gouvernement du
Québec.

Données de catalogage avant publication (Canada)

Sarfati, Sonia

   Comme une peau de chagrin

   Réédition

   (Roman Ado; ADO007)
   Publ. à l'origine dans la coll.: Roman+. C1995.

   ISBN 2-89021-801-5

   I. Titre. II. Collection.

PS8587.A376C66 2005   jC843'.54   C2005-940520-1
PS9587.A376C66 2005

Sonia Sarfati

Passer de longues heures devant un ordinateur n'a jamais fait peur à Sonia Sarfati, car elle aime écrire. Auteure de plusieurs romans jeunesse parus à la courte échelle, elle est également journaliste aux pages culturelles de *La Presse*, où elle signe des articles qui touchent à tous les domaines des arts. Elle a aussi publié un traité humoristique sur les plantes sauvages, un domaine qu'elle connaît bien pour avoir fait des études en biologie, et, plus récemment, un conte pour le Musée du Québec.

En plus d'avoir reçu plusieurs prix de journalisme, elle a obtenu le prix Alvine-Bélisle qui couronne le meilleur livre jeunesse de l'année. En 1995, son roman pour les adolescents *Comme une peau de chagrin* lui a permis de remporter le prestigieux Prix littéraire du Gouverneur général, texte jeunesse. Certains de ses livres ont été traduits en chinois, en néerlandais et en anglais.

De la même auteure, à la courte échelle

Collection Albums
Série Il était une fois:
Le crocodile qui croquait les cauchemars

Collection Premier Roman
Série Raphaël:
Tricot, piano et jeu vidéo
Chalet, secret et gros billets
Crayons, chaussons et grands espions
Maison, prison et folle évasion
Chevalier, naufragé et crème glacée
Panthère, civière et vive colère

Collection Roman Jeunesse
Série Soazig:
La ville engloutie
Les voix truquées
La comédienne disparue
Le manuscrit envolé

Collection Ado
Comme une peau de chagrin

Sonia Sarfati

Comme une peau
de chagrin

la courte échelle

À Catherine,
qui mord dans la vie à belles dents

À Brigitte,
qui n'a jamais perdu l'appétit de vivre

J'avais treize ans, et fini de grandir.
On mange pour grandir. Je ne grandirai
plus, m'étais-je dit. Je ne mangerai plus
que le minimum. Ce qu'il faut pour durer.
Cela faisait comme un champ
d'exploration immense, la découverte
d'un territoire sauvage et secret.
Je n'avais aucun secret.
Des désirs oui,
une volonté de fille de fer.

GENEVIÈVE BRISAC
Petite

Prologue
Le départ

Aéroport de Vancouver, le 28 août

Le coeur est une drôle de machine. Boum-boum, boum-boum, boum-boum... Pas besoin d'y penser, il fonctionne tout seul et, souhaitons-le, longtemps! Le lapin rose de la publicité qui marche à piles et tape sur son tambour en même temps que sur nos nerfs? De la petite bière à côté de ça!

En fait, on se souvient de lui (le coeur, pas le lapin) uniquement lorsqu'il a des ratés. Comme ceux qui se multiplient dans ma poitrine en ce moment, tandis que l'avion roule sur une des pistes de l'aéroport de

Vancouver. Un battement oublié ici et là. Rattrapé un peu plus tard. Comme si mon coeur ne connaissait plus le rythme qu'il marque pourtant depuis presque seize ans. Un trou de mémoire cardiaque, quoi!

Et je ne peux pas m'en étonner. Il étouffe, mon coeur. Il étouffe, serré dans ma poitrine entre un passé récent et un avenir pas très lointain. Serré entre ce que je laisse à Vancouver et ce qui m'attend à Montréal.

Ici, sur la côte du Pacifique, j'abandonne Éliane et Roxanne. Deux puces qui ont fêté hier leur deuxième mois sur Terre. Mes petites chéries.

Je sais que Stéphanie, leur mère et ma cousine, n'apprécierait pas mon utilisation du possessif lorsqu'il est question de SES bébés. Mais c'est plus fort que moi: dans ma tête, je ne peux faire autrement que de m'approprier une petite part des jumelles. Après tout, j'ai pris soin d'elles pendant un mois!

Une expérience dont je sors exténuée. Et ravie. C'est si chaud, si doux, ça sent si bon, un bébé! Oui, je sais! Ça pleure aussi. Beaucoup et fort. La nuit, de préférence. Mais soudain, entre deux sanglots, le silence se fait. Deux regards se croisent. Et bébé sourit. Aux anges, dit-on. C'est vrai. Des anges que l'on reconnaît aux cernes sous leurs yeux! Des anges pour qui un sourire d'enfant est comme un billet direct pour le septième ciel.

Côté vertige et euphorie, rien à voir avec les 10 000 mètres d'altitude auxquels vole actuellement l'avion qui me ramène à l'aéroport de Dorval. Où m'attend Frédérique. Où m'attend peut-être Frédérique, devrais-je préciser.

Une incertitude qui pèse bien lourd sur mes épaules.

Lourd...

Il faut connaître mon histoire, et celle de ma meilleure amie, pour voir ici un exemple de mon cynisme.

D'aussi loin que je me souvienne, Frédérique Dumas et moi, Gabrielle Perrault, sommes amies. Mais notre amitié dure, paraît-il, depuis plus longtemps encore. Mes parents et ceux de Fred se sont en effet rencontrés à l'hôpital Saint-Luc, le jour où nous sommes nées. Nos mères ont accouché à quelques heures d'intervalle. Elles ont partagé la même chambre, pendant que Frédérique et moi échangions nos premiers secrets dans la pouponnière. Elle, blonde et joufflue. Moi, brune et maigre.

Premières dents, premiers pas, premiers

mots, premières années d'école: nous vivions à quelques rues de distance l'une de l'autre et, nos parents ne s'étant jamais vraiment perdus de vue, c'est presque côte à côte que nous avons grandi. Enfin, que nous avons grandi... un peu: sans talons ni chignon, je mesure à peine 1 m 57 et ma copine, trois centimètres de plus.

Ce qui ne nous empêche pas de voir grand. Nous avions à peine sept ans lorsque nous avons trouvé notre «vocation». À nos yeux, les barbouillages de Fred avaient plus d'allure que l'oeuvre complète de Picasso et mes gribouillages auraient fait pâlir d'envie tous les Victor Hugo de ce monde.

Bref, nous avons décidé que nous deviendrions les Uderzo et Goscinny de l'an 2000. À la manière des créateurs d'*Astérix*, mon amie inventerait des personnages, je leur mettrais les mots à la bouche.

Et puisque rien ne vaut la pratique, nous avons amorcé notre «carrière» cet été-là. Résultat: une bande dessinée complète, en couleurs, reliée artisanalement et photocopiée en deux exemplaires! Tadam!

Nous avons récidivé l'année suivante. Et l'autre. Et l'autre encore. Tranquillement, bien des choses se sont précisées. Entre autres, ses dessins et mes textes!

Aujourd'hui, de grands «livres» cartonnés signés Perdu, pour Perrault et Dumas, sont soigneusement rangés dans ma bibliothèque. Identiques à ceux qui se trouvent dans la chambre de Fred.

Il y en a neuf en tout. Nous devrions bientôt en ajouter un dixième.

Ce sera peut-être le dernier.

Chapitre 1

Coup de foudre

Montréal, début février

— Ce n'est pas possible! Tu as fondu!

La jalousie. Une jalousie fulgurante m'a traversé le coeur et serré l'estomac en voyant Frédérique émerger de la cabine d'essayage. Elle était moulée dans une combinaison de ski de fond en lycra noir.

Et je n'avais d'autre choix que de me rendre à l'évidence: j'avais perdu mon «demi-point».

Je m'explique. Fred et moi avons développé un système d'auto-évaluation physique. Pour rire, bien sûr. Nous y faisons référence quand nous sommes à proximité de certains garçons. Ceux dont les regards «quantificateurs» s'attardent trop longtemps sur nos petites personnes. Nous jouons alors à les prendre de vitesse dans leurs calculs.

Ça donne des choses du genre: «Mes abdominaux sont en baisse de quatre dixièmes, mais je compense par une hausse d'un demi-point pour mes biceps. Je te jure, les pompes c'est de la rigolade à côté des redressements assis!» Mon oeil, oui...

Or, au dernier «bilan», j'avais obtenu un demi-point de plus que Frédérique. Qui s'entêtait, comme d'habitude, à se mettre un handicap de deux points à cause de ses hanches. «Je ressemble à une poire», s'obstine-t-elle à dire depuis que la puberté lui a fait cadeau de courbes qu'elle juge trop généreuses.

Eh bien, les courbes en question avaient disparu au cours des semaines précédentes! J'en avais la preuve sous les yeux puisque, pour une fois, mon amie ne dissimulait pas ses prétendues rondeurs sous un des immenses chandails qu'elle affectionne tant.

— J'ai perdu deux ou trois kilos, m'a-t-elle finalement répondu sur un ton badin, sans toutefois pouvoir dissimuler un sourire de satisfaction. Tu trouves vraiment que ça paraît?

— Et mon nez, au milieu de ma figure, est-ce que tu le vois? me suis-je exclamée. Tu es vraiment superbe!

— N'exagère pas, quand même. Tu n'auras plus rien à me dire quand j'aurai atteint mon poids idéal.

J'allais ouvrir la bouche pour que Fred m'éclaire sur ce qu'elle entendait exactement par son «poids idéal», lorsqu'elle s'est retournée vers le miroir.

— Tu es sûre que je devrais prendre cette combinaison-là? m'a-t-elle demandé en fronçant les sourcils.

Dans la glace, elle examinait sans complaisance le vêtement qui épousait les contours de ses seins, de ses fesses, de ses hanches et de ses cuisses, telle une seconde peau noire et luisante.

— Je n'ai pas l'air trop grosse? a-t-elle insisté. Quoique, en portant un coupe-vent assez long par-dessus, ça devrait aller...

Je n'arrivais pas à en croire mes oreilles. De quoi elle parlait, la Frédérique? Elle voulait cacher quoi, au juste?! Il faudrait qu'on ait un jour une bonne conversation à ce sujet.

— Comment tu as fait? lui ai-je demandé plus tard, alors que nous marchions sur l'avenue du Parc, courbées sous un vent à écorner les boeufs. Un régime? De l'exercice? Et puis, pourquoi tu ne m'as rien dit! J'aurais pu m'y mettre, moi aussi...

— Te mettre à quoi? Au régime ou à l'exercice? a répliqué Fred en me coulant un regard narquois.

Elle me connaît, ma copine.

Elle le sait que je dénonce haut et fort tous ces régimes alimentaires bidon, encore moins équilibrés que ceux... celles, devrais-je dire, qui les suivent. Et qui sont au service d'un culte du corps totalement dénué de sens.

Quant à l'exercice, Frédérique sait pertinemment que je n'ai pas «à m'y mettre». Le ski de fond en hiver et le vélo durant le reste de l'année font partie de ma vie quotidienne. Au même titre que la lecture, les vieux épisodes de *Star Trek* et les chansons de Francis Cabrel.

J'allais retourner à ma copine une de ces ripostes bien senties dont j'ai le secret, quand un coup de klaxon m'a interrompue. Une voiture bleue s'est arrêtée à côté de nous. Et la tête de Jérôme a émergé de la fenêtre, côté passager.

— Beau temps pour une promenade, les filles! a lancé mon frère, le visage tordu par une grimace éloquente qui démentait ses paroles. Ça vous dit de venir manger avec nous? On s'en va rue Saint-Denis...

Je me suis penchée pour voir qui ce «on» pouvait bien englober: je n'avais pas reconnu la voiture et pas encore aperçu le conducteur.

Et j'ai immédiatement su que j'allais rue Saint-Denis.

Avec Jérôme, naturellement. Avec Fred, si elle voulait venir (et je n'en doutais pas: bien qu'elle me considère comme sa soeur, elle est loin de traiter Jérôme comme un frère). Et avec Francis.

Non, non, pas Cabrel! Francis Rochan. Rochan comme dans *rushant*, je sais... Mais elle est vieille, celle-là. Francis l'a entendue des centaines de fois depuis que sa famille a quitté La Rochelle, en France, pour s'installer à Montréal. C'était il y a sept ou huit ans.

C'est d'ailleurs par le biais de cette plaisanterie qu'il a fait connaissance, assez durement, avec Jérôme.

Amateurs de badminton, ils participaient

au tournoi annuel organisé à la polyvalente. Après avoir remporté plusieurs matchs chacun, ils devaient s'affronter dans les demi-finales chez les 15 ans. Heureux de sa performance, Francis s'était précipité sur le terrain où il allait jouer contre mon frère. Mais pour celui-ci, en train de se laisser admirer par sa dernière conquête (Julie ou Isabelle, je me perds dans le compte), rien ne pressait.

— Eh! Perrault! Tu viens ou tu déclares forfait? avait crié Francis.

Jérôme avait pris le temps d'embrasser sa copine et de m'ébouriffer les cheveux. Puis, il s'était retourné lentement.

— Hé! T'es bien *rushant*, Rochan! avait-il répliqué sèchement.

Francis n'avait alors fait ni une ni deux et lui avait sauté dessus. Ils s'étaient battus, avaient été disqualifiés du tournoi, étaient restés en retenue après l'école.

Et ils étaient devenus les meilleurs amis du monde.

C'était il y a trois ans. À l'époque, j'ai accueilli comme tous les autres ce nouveau membre de la bande de Jérôme: avec une totale indifférence. En effet, je ne suis pas le genre à courir après les copains de mon grand frère. Sinon, quelle sprinteuse je serais! Moi, je préfère de loin le travail de fond. D'endurance. Je me suis donc toujours fait un point d'honneur de recruter seule mes petits amis. Seule... ou avec la complicité de Frédérique. Un échange de bons services, quoi!

Rien de mémorable, toutefois, autant de mon côté que du sien. Bien des béguins. Et autant de déceptions. Mais jamais assez amères pour que nos coeurs en portent les cicatrices. En cas d'urgence, nous nous rabattons simplement sur une certaine chanson et laissons aux mots de Cabrel le soin de mettre du baume sur notre blessure: «Si tu pleures pour un garçon, tu seras pas la dernière. Souvent, les poissons sont bien plus affectueux.» Relégué au rang de sous-sardine, même le plus beau des gars perd beaucoup de son charme!

Et puis, pendant les vacances de Noël, les choses ont changé. Moi aussi, je crois.

Un baiser quasi fraternel échangé en même temps qu'un «Bonne année» tout ce qu'il y a de plus banal, et... un poisson (astrologiquement parlant) m'a prise dans ses filets. Un «poisson» nommé Francis-pas-Cabrel-mais-Rochan.

Bref, je ne sais pas si je dois parler de réveil soudain, de magie rouge-amour, de prise de conscience (et de corps!) ou de coup de foudre à retardement frappant une fille retardée... Mais soudain, Francis est devenu autre chose pour moi qu'un prénom collé sur le front du copain de mon frère.

Depuis un mois, donc, je me mets à bégayer lorsque j'entends la voix de Francis au téléphone. Même si la seule chose qu'il me dit ressemble à: «Salut, Gabrielle. Tu me passes ton frangin, s'il te plaît?»

Ce n'est guère mieux à l'école. Mes genoux jouent des castagnettes quand je le croise dans un couloir. Et à la cafétéria, ma bouche devient sèche deux fois par semaine à midi pile. Pas à cause du menu, mais parce que ces journées-là, il anime l'émission du midi diffusée par notre radio étudiante.

Quant à mon appétit, que l'amour coupe à certaines, il va très bien merci. Un peu trop, même... Peut-être, malgré mes intimes convictions, devrais-je faire un peu plus attention?

C'était l'immense question que je me posais en m'installant sur le siège arrière de la voiture, suivie par Frédérique qui, à en juger par son rire, venait d'échanger je ne sais trop quel commentaire spirituel avec Jérôme.

— Prêtes?

J'ai levé les yeux pour répondre à Francis. Nos regards se sont croisés dans le rétroviseur.

Bleu, profond et un rien moqueur, le sien.

Embué, le mien.

Oui, embué. C'est ma manière à moi de rougir. Mon teint, très mat, me protège contre les signes extérieurs de la gêne, en m'évitant tout rougissement malvenu. Mais, à mon grand dam, je possède des glandes lacrymales particulièrement volubiles. Qui en disent très long sur mes humeurs. Si je suis triste, mes yeux deviennent un Niagara. Si je suis heureuse, ils se transforment en un fleuve en pleine crue. Si je suis mal à l'aise, l'eau y monte au pas de course et mes iris se mettent à briller de mille feux, telles deux patinoires au soleil.

C'est le cas en ce moment alors que, dans mon coeur et dans mon ventre, je me sens plutôt comme une patinoire... sous la pluie: je fonds.

— Qu'est-ce que vous avez envie de manger? Pizza? Hamburger et frites? Spaghetti? a demandé Jérôme.

— Salade.

C'est le premier mot qui m'est venu à l'esprit. En un éclair, je venais de revoir l'image que le miroir m'avait renvoyée ce matin. Image qu'habituellement je trouve pas mal du tout, mais qui ne tiendrait pas la comparaison avec celle que mon amie avait dévoilée tout à l'heure. En tout cas, certainement pas une fois... heu... en tenue très légère. Et dans les bras de Francis!

Reste que ma proposition végétarienne a fait chou blanc. Nous nous sommes retrouvés dans une pizzeria à la mode, dont le menu offrait un vaste choix de salades.

J'ai commandé une pizza.

Et je l'ai mangée, plus par dépit que par appétit. Bien qu'ils nous aient invitées, Francis et Jérôme semblaient avoir complètement oublié les deux belles filles qui se trouvaient en face d'eux. Frédérique et moi, quoi! Leur conversation tournait autour d'une histoire de possible travail d'été dans le Grand Nord (pitié, pas ça!).

Avec un soupir proportionnel à la bouchée de pizza que je venais d'engouffrer, je me suis alors tournée vers ma copine.

— Alors, Fred, est-ce que tu me dévoiles ton secret? lui ai-je demandé, d'une voix couleur cholestérol.

Frédérique a immédiatement compris où je voulais en venir.

— Je n'en ai pas, de secret, a-t-elle répondu en haussant les épaules. J'ai seulement décidé de faire attention à ce que je mange. Facile, depuis que mes parents sont si souvent à l'extérieur de la maison...

Au début de l'année, le père de Monique Poitras-Dumas avait eu un accident cérébrovasculaire qui l'avait laissé en partie paralysé. Son épouse avait besoin d'aide pour s'occuper de lui. Depuis, leur fille se rendait donc régulièrement dans les Laurentides.

Quant à Jacques Dumas, le bureau pour lequel il travaillait avait amorcé, en février, des négociations avec une entreprise mexicaine. La présence du père de mon amie à Mexico était, semble-t-il, indispensable au bon déroulement de l'opération.

— De toute manière, a poursuivi Fred, ma... transformation ne doit pas être aussi radicale que tu le dis. Après tout, tu n'avais rien remarqué jusqu'à tout à l'heure.

Le ton de mon amie m'a surprise. Désagréablement. Il y avait de la dérision dans sa voix. Et du ressentiment.

J'allais lui demander une explication,

quand son regard s'est dérobé au mien, pour se fixer sur son assiette. Soigneusement, Frédérique s'est mise à couper sa pizza.

Des petits morceaux. Tout petits.

Qu'elle ne portait jamais à sa bouche.

Dans l'avion

Entre Vancouver et Montréal, le 28 août

— Boeuf ou poulet, mademoiselle?

Je sursaute, regarde l'agente de bord sans comprendre.

— Je crois bien que je vous ai réveillée, constate-t-elle en souriant. Désolée...

— Ce n'est pas grave. J'étais en plein cauchemar.

Le pire, c'est que j'y suis encore.

— Alors, que préférez-vous manger? reprend la jeune femme, qui doit poursuivre son service. Boeuf ou poulet?

J'examine les plateaux. Et plus je les examine, plus mon estomac se serre. Mon coeur fait de même.

— Je me demande quel plat contient le moins de calories... dis-je, amère.

Chapitre 2

Repas à couteaux tirés

Montréal, début mars

Mon écritoire de cuir à la main, je suis arrivée au restaurant La Criée à 18 h 30 tapantes. Il n'était pas question que je sois en retard pour ce double rendez-vous. Rendez-vous officiel avec Fred. Rendez-vous officieux avec Francis. Et si mon coeur battait ainsi la chamade, c'est qu'il y avait une semaine que je n'avais vu ni l'un ni l'autre.

À l'instant où commençait le congé scolaire du mois de février (enfin!), Frédérique et moi nous étions quittées d'un commun accord, d'une bise et d'un sourire, à la porte de la polyvalente.

Cela fait partie d'un rituel que nous avons instauré lorsque nous sommes entrées au secondaire: la semaine de relâche est devenue pour nous une période intensive de mise en chantier. À partir d'idées notées ici et là... et même ailleurs, chacune de notre côté, nous mettons sur papier les grandes lignes de la bande dessinée qui nous occupera pendant une partie de l'été.

Puis, vers la fin du congé, rencontre au sommet. Nous dévoilons notre travail à l'autre, nous tentons de nous surprendre mutuellement et, en cas de mésentente, nous nous faisons persuasives, convaincantes ou... chiantes. Nous laissons ensuite le tout mûrir jusqu'à la fin des classes. Puis, nous avons deux mois pour pondre notre chef-d'oeuvre.

Cette année, c'est au restaurant qu'a lieu notre rencontre. Une de mes initiatives. Pour la bonne raison qu'un des serveurs de La Criée se nomme... Francis Rochan.

Pas qu'il soit un fana de la restauration! Ce sont, en fait, les «produits dérivés» qui l'ont attiré en ces lieux fréquentés par le gratin du monde artistique. Intéressant pour quelqu'un qui, tel Francis, rêve de devenir musicien professionnel.

Rêve que je considère d'ailleurs comme une preuve supplémentaire de notre compatibilité: j'écrirai des paroles sur ses musiques et lui, des musiques sur mes paroles. Et nous irons de par le vaste monde, tels un troubadour et sa parolière...

Woh! Je délire ou quoi?

Bref, à cause de cet emploi à mi-temps qu'il venait de décrocher à La Criée, Francis avait disparu de mon horizon depuis le début de la relâche scolaire. Il n'était pas passé voir Jérôme à la maison et, congé oblige, je n'avais pas pu le croiser dans les couloirs de la polyvalente.

Oui, de la polyvalente. Car, malgré son âge «avancé», Francis n'est qu'en cinquième secondaire. Ce n'est pas sa faute. Mais celle d'un virage trop serré, d'une chaussée trop glissante, d'un soleil trop brillant, d'un conducteur épuisé. Qui avait perdu le contrôle de son automobile, fauchant dans son élan le gamin qui roulait à bicyclette sur le bord de la route.

En une fraction de seconde, la journée ensoleillée avait pris une tournure dramatique. Cauchemar d'une «nuit» d'été qui, pour Francis, avait duré une éternité. Deux semaines de coma. Puis, sept interventions chirurgicales pour réparer son corps brisé. Ensuite, des mois et des mois de rééducation. Il lui a fallu réapprendre à marcher, à parler. À vivre.

Deux années perdues. Pas seulement en scolarité.

Francis n'aime pas parler de cela. La pitié, ce n'est pas sa tasse de thé! Il est plutôt du genre à opter pour l'autodérision. Ce n'est pas pour rien s'ils sont tellement nombreux à croire qu'il fréquente encore la polyvalente à 18 ans parce qu'il a «redoublé trois fois sa maternelle». Et Francis ne fait rien pour démentir cette rumeur. En fait, il l'encourage presque. Comme s'il se fichait de l'opinion de tout le monde. De la mienne aussi, donc.

Mais, comme le contraire n'est pas vrai, j'ai pris, après avoir enlevé manteau, foulard et bandeau, le temps de jeter un coup d'oeil au reflet que me renvoyait le miroir fixé au mur, dans l'entrée de La Criée.

Ça allait.

Et ça aurait été encore mieux si j'avais eu des yeux tout le tour de la tête. Ce n'est pas esthétique, je sais, mais ça m'aurait sûrement évité de me prendre les pieds dans le tapis tandis que j'avançais en admirant mon joli minois.

Heureusement, j'ai repris mon équilibre à temps. En faisant juste assez de bruit pour attirer l'attention du maître d'hôtel et du serveur avec qui il était en grande discussion. Francis, bien sûr. Qui m'a adressé un sourire dévastateur accompagné d'un clin d'oeil, avant de souffler quelques mots à l'oreille de son compagnon de travail. Ce dernier a hoché la tête et s'est approché de moi.

— Pour une personne? a-t-il demandé.

— Non, nous serons deux, ai-je répondu.

Bientôt, attablée en compagnie... du menu, j'ai ouvert mon écritoire afin de relire les notes que j'avais prises au cours de la semaine. Mais j'ai à peine eu le temps de plonger dans mon intrigue, car Francis est rapidement venu me rejoindre (ô joie!). Seulement en tant que serveur, ai-je rapidement compris (ô déception...).

— Salut, a-t-il quand même murmuré en se penchant vers moi.

Ses lèvres ont effleuré ma joue. Et la tentation a été si forte... que j'ai succombé: après avoir tendu l'autre joue, j'ai tourné légèrement la tête au moment où il m'embrassait.

Pendant une fraction de seconde, nos bouches se sont frôlées. Francis a émis un «Hum...» que j'espérais d'appréciation, tandis qu'un feu d'artifice s'allumait dans mon regard!

— J'attends Frédérique, ai-je bredouillé après un court silence gêné.

— Pas de problème, a répondu Francis, de cette voix qui transforme mes genoux en Jell-O. Je reviendrai plus tard prendre votre commande.

Je l'ai observé, étudié, détaillé tandis qu'il s'éloignait. Tout cela de manière tellement intensive que j'ai poussé un cri de surprise lorsque la main de Fred s'est posée sur mon épaule.

— Nerveuse, ma vieille? a-t-elle lancé en riant. Qu'est-ce que tu as mangé pour être si agitée?

Rien en particulier, me suis-je dit en saluant mon amie. Qui, elle, n'avait probablement rien mangé, point final, au cours de la semaine. En tout cas, si je me fiais à son allure.

— Tu as encore maigri? ai-je demandé tandis qu'elle s'installait en face de moi.

Froncement de sourcils, haussement d'épaules. Soupir de soi-disant découragement. Et, soudain, un éclair de malice a traversé le visage de Frédérique.

— Hou, hou, Gabrielle! C'est moi, Fred...
Ta copine, tu te souviens? a-t-elle dit en levant les mains comme pour se protéger. On ne s'est pas vues depuis six jours, j'ai eu le temps d'apprendre le dernier disque de Cabrel par coeur, de dévorer *La Peau de chagrin* de Balzac, de tomber amoureuse de Johnny Depp dans *Qui est Gilbert Grape?* et... de penser à notre projet. Je t'apporte des esquisses rien de moins que géniales. Ma chérie, je me suis surpassée! Alors, tu ranges tes sombres pensées et tu me souris, d'accord?

D'accord. De toute manière, je ne pouvais faire autrement: quand elle joue ainsi «à la mère», Frédérique est irrésistible. Et ce, malgré ces joues creuses auxquelles je ne m'habituais pas.

— Et toi, tu as bien travaillé? m'a-t-elle demandé.

L'occasion était trop belle...

— Hou, hou, Fred! C'est moi, Gabrielle... Ta copine, tu te souviens? me suis-je exclamée en l'imitant. Tu dois donc t'en douter, ma chérie: je me suis encore une fois surpassée! D'ailleurs, m'as-tu déjà vue travailler autrement que bien, sinon exceptionnellement bien?

Francis a surgi en plein milieu de mon délire.

— Salut, Frédérique, a-t-il dit en tenant son carnet et son crayon d'un air très «Mesdemoiselles sont prêtes à commander?».

Puis, après un coup d'oeil étonné à mon amie, il a poursuivi:

— Est-ce que ça va? Tu as l'air fatiguée...

Je n'ai jamais vu un changement d'humeur aussi rapide. Les mots ont instantanément fusé de la bouche de Fred, plus rapides qu'une balle, plus durs qu'un morceau de silex.

— Quelle tête tu as, toi, la journée précédant le début de tes menstruations?

J'ai failli m'étouffer avec la gorgée d'eau que j'étais en train d'avaler. Francis, lui, a haussé un sourcil, visiblement vexé par les mots de Fred. Voyant cela, j'ai balancé un coup de pied dans les mollets de cette traîtresse... qui, naturellement, regrettait déjà ses paroles. Elle est soupe au lait, mais pas méchante, ma copine.

— Je m'excuse, Francis, a-t-elle repris doucement. J'ai des sautes d'humeur pas possibles, ces temps-ci. C'est sûrement le printemps qui me travaille.

Le printemps, vraiment? Il était encore loin, le printemps. Et, en fait, elle me semblait plutôt d'humeur automnale, la Frédérique. De la grisaille plein la tête et aussi imprévisible que le temps. Passant sans transition de l'orage furieux à l'éclaircie radieuse.

— Vous me ferez signe quand vous serez prêtes, a simplement dit Francis en nous quittant.

Sa voix habituellement chaude avait à présent des accents rappelant les glaciers des hautes montagnes. Je dois admettre qu'il y avait de quoi.

— Franchement, qu'est-ce qui t'a pris? ai-je lancé à Fred.

— Et toi, alors!? a répliqué mon amie, sa mauvaise humeur déjà revenue. Tu as failli t'étrangler de rire! Ne le nie pas, je ne suis ni sourde ni aveugle.

En effet, elle ne se trompait pas. Amoureuse ou pas, quand c'est drôle, je ris. J'étais prête à l'admettre. Et c'est ce que j'aurais fait si Frédérique m'en avait laissé le temps.

— Bien sûr, tu n'avoueras jamais t'être moquée du beau... que dis-je, du magnifique Francis! a-t-elle poursuivi sur un ton sarcastique, mordant. Et c'est normal puisque dès qu'il est question de Rochan, tu *rushes* comme une malade!

Sans voix. Je suis restée sans voix. C'était quoi, ce qui perçait entre les mots de ma copine? De la jalousie?!

J'ouvrais la bouche pour riposter de plus belle, quand l'inutilité de mes paroles... enfin, des paroles que j'allais prononcer, m'est apparue. Fred ne m'écoutait pas. Les coudes sur la table, la tête entre ses mains, les yeux noyés dans ses longues mèches blondes, mon amie était bien loin de moi.

Elle souffrait.

Et soudain, j'ai eu peur. Très peur. Jamais je n'avais perçu si grand désarroi, si grande douleur chez quelqu'un.

J'ai alors attrapé une des mains de Frédérique. Elle était froide. Si froide! J'en sentais les os, juste sous la peau. Cela m'a fait un peu le même effet que lorsque, un certain été, j'avais trouvé un oisillon mort au pied d'un arbre. Je l'avais ramassé, petit paquet d'os et de peau. Glacé par la mort, malgré le soleil qui plombait.

Entre Fred et moi, il y a seize années de grande amitié. Une montagne de complicité, quoi. Frédérique a rapidement perçu ma perplexité et senti toutes ces questions que je désirais, mais n'osais, formuler.

Elle s'est alors mise à parler. De la solitude. Du sentiment d'abandon qu'elle éprouvait depuis que sa mère était devenue une «infirmière», depuis que son père était devenu un «Mexicain par affaires». Et depuis que sa meilleure amie était devenue une «grande amoureuse».

Il faut dire que ma copine a toujours vécu dans un cocon. Protégée de tout et de tous par des parents adorables, mais très, très possessifs. Ils l'avaient attendue tellement longtemps, leur petite Frédérique. Mme Poitras-Dumas avait fait quatre fausses couches avant de parvenir à porter un enfant à terme. Fred était arrivée alors qu'elle n'espérait plus. À 45 ans, son mari et elle avaient fait quatre croix sur leur rêve.

Je me suis toujours dit que cette si longue attente, conclue de si belle manière, expliquait la force des liens qui unissent Frédérique à ses parents. Si fiers les uns des autres, si proches les uns des autres, si compréhensifs les uns envers les autres.

Trop, peut-être...

Ainsi, je me souviens très bien de ce Noël où mon amie avait déniché, par hasard, les cadeaux que ses parents venaient de lui acheter. Parmi les boîtes se trouvait une cartouche pour son jeu vidéo... qu'elle n'utilisait plus que rarement.

Fred, qui souhaitait en fait recevoir un logiciel permettant de dessiner à l'aide de l'ordinateur, s'était alors remise au *Nintendo*. Comme prise d'une incontrôlable frénésie. Pour que son père et sa mère n'aient aucun doute sur la pertinence du cadeau qu'ils lui avaient choisi!

Bref, certains auraient sauté de joie à l'idée de se retrouver avec (en fait de temps disponible) une demi-mère et un quart de père. Pas Frédérique. Elle encaissait bien mal le choc. Surtout qu'il survenait en même temps qu'une autre «trahison».

C'était le terme qu'elle avait employé, en parlant de mon amour pour Francis. C'était donc bel et bien de la jalousie que j'avais perçue dans sa voix un peu plus tôt.

D'ailleurs, elle l'admettait. Et cela la torturait.

— Je ne veux pas être comme ça, Gabrielle, a-t-elle murmuré. Je veux être contente pour toi, mais...

J'ai secoué la tête. Tout cela devenait soudain trop lourd, trop fou.

— Écoute-moi bien, Fred, me suis-je lancée. Oui, je capote sur Francis Rochan. Mais ce n'est pas réciproque, loin de là. Alors, arrête de t'énerver avec ça. Tout ce que je te demande, c'est de m'écouter délirer à son sujet une fois de temps en temps. En ce qui concerne tes parents, essaie de comprendre que pour eux non plus, ce n'est pas facile. Et quand ils s'absentent tous les deux, tu sais bien que tu n'es pas seule. Je suis là, moi! Tu peux venir chez moi quand tu veux.

Eh, que je déteste parler ainsi! On dirait que j'écoute Gabrielle-de-l'an-2000 (c'est moi, mais en plus vieux... et pas nécessairement en mieux). Je savais toutefois que Frédérique avait besoin de se faire materner un peu... beaucoup, passionnément, à la folie. Elle me l'a prouvé dès la fin de mon mini-discours.

— Merci, Gabrielle. Tu es gentille. Et moi, je suis plutôt rabat-joie! a-t-elle admis. Allez! On oublie tout ça, on mange et on travaille. J'ai hâte de te montrer mon oeuvre!

Ouf!

Nous nous sommes alors penchées sur le menu. Pour moi, le choix est toujours rapide: je pars à la «pêche» au saumon. Poché, grillé ou en sauce, peu importe. Même chose pour Fred. En tout cas, d'habitude.

— Non, non, cette fois-ci, pas de saumon pour moi, a-t-elle déclaré. C'est trop riche. Tu imagines, 250 calories par portion! Et ça, c'est sans compter la sauce! Je devrais plutôt manger des moules: à peine 75 calories.

— Le hic, c'est que tu n'aimes pas les moules, lui ai-je fait remarquer avec diplomatie.

Elle m'a regardée, perplexe. Comme si elle ne comprenait pas ma réflexion. Et, dans le fond, j'étais également consciente de l'inutilité de ma remarque: j'avais l'intime conviction qu'elle ne mangerait pas ce qu'elle commanderait. Ou si peu.

Mais je n'allais sûrement pas laisser de nouveaux nuages s'accumuler au-dessus de nos têtes et dans notre conversation.

— Eh bien, je ne savais pas qu'il y aurait bientôt une émission *Tous pour un* sur la nutrition et la diététique! C'est dans l'espoir d'y participer que tu mémorises ainsi le nombre de calories des aliments?

— Ben voyons! a-t-elle fait en haussant les épaules. Je ne mémorise rien du tout. J'utilise une table de calories.

En disant cela, elle a sorti de sa poche un livre minuscule sur lequel, en lettres rouges, s'étalait le mot «Calories». Le dos en était cassé, des pages en étaient cornées. Bref, il semblait vieux et usé. Comme si on l'avait consulté encore et encore. Et, probablement, plus encore.

Dans un flash, j'ai revu des bribes d'un reportage qui était passé à la télévision quelques mois plus tôt. Comptage effréné des calories, obsession de la nourriture, amaigrissement dramatique.

Malgré moi, mais accompagnés d'un sourire, les mots ont franchi mes lèvres.

— Dis donc, Frédérique Dumas, tu es en train de devenir anorexique ou quoi?

À voir le visage de mon amie, j'ai compris que je n'aurais pas dû faire une telle remarque.

— Ne plaisante pas avec ça, a-t-elle grondé. L'anorexie, c'est une maladie. Une maladie mentale, tu entends? Ça n'a rien de drôle.

Dans l'avion

Entre Vancouver et Montréal, le 28 août

L'assiette de poulet refroidit devant moi. Je n'y ai pas encore touché, que déjà l'agente de bord se propose de me l'enlever.

— Vous n'aviez vraiment pas faim, dit-elle.

— J'ai un peu mal à la tête.

Piètre excuse. Mais vraie: un douloureux pincement me meurtrit la tempe droite. Un signe qui revient tous les mois, avec la régularité d'un métronome. Impossible d'y couper.

Quoique Fred, elle...

Chapitre 3

Une pilule dure à avaler

Montréal, fin mars

— M'accompagnerais-tu chez le médecin, à la Clinique des jeunes? m'a demandé Frédérique alors que nous sortions de l'école.

— Tu es malade!

Ce n'était pas une question, mais une affirmation. Et un cri du coeur. À mes yeux, il ne pouvait en effet y avoir qu'une explication au dépérissement de mon amie: la maladie.

Si elle affichait une fierté sans bornes face à ce qu'elle appelait sa «nouvelle silhouette», il était toutefois inutile d'essayer de lui faire dire combien de kilos elle avait perdus depuis le début de l'année. De même qu'il était impossible de la croire lorsqu'elle affirmait ne vouloir perdre que deux kilos de plus, afin d'avoir une marge de manoeuvre quand elle arrêterait ce «régime» dont elle m'avait parlé deux semaines plus tôt.

* * *

Ce samedi-là, Jérôme nous avait invitées à aller faire du ski de fond dans les Laurentides. J'avais sauté sur l'occasion par intérêt pour ce sport. Frédérique, par intérêt pour mon frère... que, finalement, nous n'avions pas beaucoup vu: il avait fait davantage de *social* que de kilométrage, ayant rencontré des copains du cégep. Le terme générique «copains» comprenant naturellement, à au moins trois reprises, celui de «copines»!

D'où, avais-je cru, l'agressivité de Fred sur les pistes. Impossible à suivre, la fille! Pourtant, je suis techniquement meilleure qu'elle. Mais ce que je possède en art, ce jour-là, elle le possédait en nerf.

Bref, au bout de vingt kilomètres, j'étais vidée.

Et Frédérique, complètement gelée. Malgré les efforts qu'elle venait de déployer, malgré les multiples couches de vêtements, malgré le bonnet recouvert par le capuchon du coupe-vent, malgré les mitaines doublées, malgré les couvre-chaussures.

Bientôt, nous nous étions retrouvées en file, au casse-croûte du chalet. Fred devant et moi derrière, un peu comme sur les pistes.

— Tiens, Gabrielle, tu devrais prendre ça, m'avait-elle dit en posant une énorme assiette de macaronis sur mon plateau. Oh, et puis de la salade de pommes de terre! Et...

Et ainsi de suite jusqu'à la caisse. Lorsqu'était venu le moment de payer, le plateau de Frédérique ne contenait qu'un mini-bol de salade non assaisonnée et un morceau de pain sans beurre. Le mien était plein à craquer. Une vraie farce.

— Ça va être bon pour toi, n'avait cessé de me répéter mon amie.

Je connaissais la rengaine: au cours des semaines précédentes, Fred m'avait talonnée de chez moi à chez elle, en passant par la cafétéria de l'école, avec ses «Mange ça, Gabrielle» et ses «Es-tu sûre d'en avoir assez?».

Cette fois-ci, je l'avais laissée faire. Pour

voir jusqu'où elle irait. Et c'est bien simple, elle était allée jusqu'au bout. Jusqu'au bout de ma patience.

— Tu vois ça, Frédérique Dumas? avais-je aboyé, une fois à table, en poussant mon plateau vers elle. Eh bien ça, c'est peut-être ce que tu as envie de manger! Ce que tu rêves de manger, toi! Mais pas moi! Alors, bon appétit!

Elle avait semblé complètement stupéfaite. Comme si elle ne comprenait pas mon exaspération. Il avait alors fallu que je lui explique, que je lui raconte. Que je lui mette sous les yeux cette obsession dont elle faisait preuve pour la nourriture et qui me rendait folle. Que je lui dise combien de fois j'avais eu envie de lui crier de se mêler de ses oignons...

— Mais même ça, même quelques minables rondelles d'oignon, tu n'en mangerais pas si tu avais déjà atteint le nombre de calories que tu t'es fixé pour la journée! Est-ce que je me trompe? lui avais-je demandé.

Elle avait soupiré. Et, sur ma lancée, j'avais continué.

— Au fait, j'aimerais bien savoir combien de calories, justement, tu t'autorises à manger par jour! Cinq cents? Cinq cent cinquante, peut-être? Alors qu'il t'en faudrait un peu plus de 2000! Eh oui, je sais ça! Moi aussi, je peux consulter des livres de diététique! Enfin, Fred, tu n'as pas vu la tête que tu as?

Je l'avais regardée au plus profond de ses yeux. C'était la seule chose à laquelle je pouvais me raccrocher. La seule chose que je reconnaissais vraiment dans ce visage émacié.

— Tu fais peur, Frédérique. Et tu ME fais peur!

Et elle devait également faire peur à ses parents, non? Eh bien! non, semblait-il. Ils avaient toujours autant confiance en leur Miss Perfection. Tout le monde le sait, la confiance peut être aveugle. La leur l'était totalement.

— Ne t'en fais pas, maman, devait dire mon amie. Tu le sais, que je mange normalement. J'ai maigri, d'accord. Mais toi aussi, non? Parce que tu t'inquiètes pour grand-papa. C'est exactement ce qui m'arrive...

— Elle a raison, Monique, ajoutait probablement M. Dumas. Mais toi, ma grande, fais un peu attention. Ne te laisse pas aller. D'ailleurs, il faudra que, très bientôt, nous ayons tous les trois une conversation sérieuse. Il me semble que les événements se bousculent autour de nous, que nous sommes en train de nous perdre de vue.

— Parfait! s'exclamait sûrement Frédérique, emballée (mon oeil!). Et vous savez quoi? On commencera notre discussion autour d'un bon repas que j'aurai moi-même préparé. Vous allez voir ce que vous allez voir!

Et tous y croyaient vraiment. Ou faisaient vraiment semblant d'y croire.

C'est comme ça, chez les Dumas: on est ouvert à tout et on croit pouvoir tout résoudre en parlant. Magnifique, en théorie. Sauf qu'en pratique, je me suis rendu compte qu'ils n'abordent jamais les vrais problèmes. Par peur, peut-être, que les rouages parfaitement huilés de leur machine familiale ne se mettent à grincer.

Personnellement, je crois qu'une bonne engueulade de temps en temps n'a jamais fait de tort à personne. Et il me semblait que, ces derniers temps, c'était exactement ce dont Frédérique avait besoin.

En tout cas, moi, j'en avais besoin. Ras-le-bol de son petit jeu! Et l'épisode de la journée de ski était devenu la goutte qui avait fait déborder le vase... et le plateau, que je venais de pousser vigoureusement vers elle!

Ce geste et mes mots avaient allumé une lueur de douloureuse surprise dans le regard de mon amie. Elle s'était affaissée sur sa banquette. Et elle avait éclaté en sanglots.

Je m'étais alors précipitée vers elle et je l'avais prise dans mes bras. Mais je ne m'étais pas excusée. Je n'avais pas à le faire. Et ma copine le savait. Elle, par contre, avait des explications à me donner.

Elle avait reparlé de sa situation familiale. Mais là, j'avais haussé un sourcil sceptique: je commençais à trouver que ses parents avaient le dos bien large!

Puis, elle avait lâché le mot. Régime.

— Mais c'est presque fini, Gabrielle. J'aurai atteint mon objectif d'ici une quinzaine de jours. Deux kilos et on n'en parle plus.

Je ne l'avais pas crue. Et j'avais eu raison.

* * *

Bref, en cette fin d'après-midi, ce n'était pas pour cause de maladie que Frédérique m'avait demandé de l'accompagner chez le médecin. Elle n'était pas malade. Du moins, pas dans le sens où elle et moi l'entendions lorsqu'elle était dans une bonne journée. Pas de colonie de vers solitaires dans l'intestin, pas de grève générale de l'estomac, pas de motus et... bouche cousue voguant clandestinement dans le système digestif.

Mon amie voulait tout simplement se faire prescrire la pilule. Non, ses efforts pour apprivoiser Jérôme n'avaient pas porté fruit... et ils n'avaient pas croqué la pomme! C'est plutôt qu'elle a, depuis longtemps, des problèmes avec son cycle menstruel. Et comme les choses ont empiré il y a quelques mois, elle a décidé d'accepter la proposition de son médecin. C'est-à-dire de prendre la pilule contraceptive dans le but de régulariser ses menstruations.

— Tu m'accompagnes, hein? m'a-t-elle demandé encore une fois lorsque son tour est venu d'entrer dans le bureau du médecin.

Frédérique a une peur terrible des docteurs, des dentistes et de tout ce qui s'appelle «professionnel de la santé». Aussi incroyable que cela puisse paraître, sa mère l'accompagne habituellement à chaque visite médicale! Mais aujourd'hui, Monique Poitras-Dumas se trouvait auprès de ses propres parents.

C'était donc au tour de «maman Gabrielle» de tenir Fred par la main. Et de s'asseoir à côté d'elle, devant le docteur Jacqueline Tremblay. Laquelle n'a pas manqué de froncer les sourcils dès que nous sommes entrées dans son bureau. Elle a rapidement baissé les yeux pour consulter le dossier de ma copine, ouvert devant elle. Et son expression s'est faite plus soucieuse encore.

La conversation a tout d'abord porté sur des banalités. Mais, tandis que Fred échangeait avec le docteur Tremblay, je voyais le regard brun de cette dernière, chaleureux mais inquiet, s'attarder sur une cuisse trop maigre, s'interroger sur le pourquoi de ces joues trop creuses. Comparer la Frédérique Dumas assise dans ce bureau à celle qui était «couchée» dans le dossier.

— Alors, ma belle, qu'est-ce que je peux faire pour toi? a-t-elle finalement demandé.

Elle a écouté Fred, toujours attentive et bienveillante. Mais, lorsque ma copine a formulé sa demande, son visage s'est fermé.

— Non, Frédérique, a-t-elle dit. Je ne peux... et je ne veux absolument pas te prescrire la pilule contraceptive. Tu es beaucoup trop maigre.

Bien que prononcés d'une voix douce, ces

mots n'admettaient pas la réplique.

— Que s'est-il passé depuis notre dernier rendez-vous? a poursuivi le médecin. Et combien de poids as-tu perdu? Sans mentir, s'il te plaît. La balance est juste derrière toi.

Mon amie est devenue rouge. Pas de honte. De colère. Qu'est-ce qu'on avait, toutes, à lui parler de son poids! On était jalouses, c'est ça?! Jalouses parce qu'elle, elle était parvenue à maigrir. À avoir le contrôle de son poids, de son appétit. De sa vie.

Le docteur Tremblay l'a laissée parler, attentive au moindre mot. Mais sa question demeurait en suspens. Et elle attendait une réponse. Frédérique l'a senti.

— Cinq kilos.

Les mots de mon amie ont claqué comme un coup de fouet. Mais cela n'a pas eu l'air d'impressionner le médecin. Qui s'est contentée de hocher la tête de gauche à droite. Frédérique a soupiré.

— Bon, ça va! a-t-elle lâché. Sept, d'abord.

Nouveau hochement de tête de la part du docteur Tremblay. J'avais l'impression d'assister à une surenchère de l'absurde.

— Environ neuf, a finalement avoué mon amie.

Je savais que là, elle avait dit la vérité. Le médecin l'a également senti.

— Tu as perdu plus de quinze pour cent de ton poids normal, Frédérique. À vingt pour cent, on parle d'anorexie. Tu sais, j'imagine, à quoi je fais allusion?

On aurait dit qu'un éclair venait de frapper le bureau du docteur Tremblay. Un éclair de fureur. En une fraction de seconde, ma copine s'est levée. Les mains à plat sur le bureau du médecin. Le corps penché vers l'avant. Crachant sa rage.

— Je ne suis pas anorexique! a-t-elle rugi. Je ne suis pas une malade mentale. Je traverse un moment difficile, d'accord. J'ai également décidé de me mettre au régime... parce que je trouve que j'en ai besoin. Mais je peux, si je le veux et quand je le veux, me remettre à manger tout ce qui me fait plaisir.

— Alors, dis-moi ce qu'il te ferait plaisir de manger, ma belle, a répondu le docteur Tremblay, sans se départir de son calme.

Fred s'est rassise en silence. Elle a serré les dents, comme si le médecin allait sortir, par magie, une assiette de Dieu sait quoi de derrière son bureau. Mais en fait, le docteur Tremblay s'est contentée de prendre une feuille de papier dans son tiroir. Une feuille sur laquelle elle a noté tout ce que Frédérique mangeait et buvait au cours d'une journée.

Ce n'était pas beaucoup. Le matin, une tranche de pain grillée (sans beurre, bien sûr) et un verre de lait (oui, oui, écrémé); et ainsi de suite, pour trois repas qui, ensemble, totalisaient moins que ce que j'avalais pour dîner seulement. Ce n'était pas beaucoup, non. Mais c'était un bel étalage de mensonges.

— J'imagine que je peux diviser tout cela par deux, a finalement conclu le docteur Tremblay, perspicace.

D'après ce que j'avais pu voir au cours des dernières semaines, elle aurait facilement pu y aller pour la table de trois. Mal à l'aise, j'ai commencé à m'agiter sur ma chaise. Je n'étais pas à ma place, ici. Je crois d'ailleurs que le médecin a pensé la même chose. Elle a soupiré profondément et m'a regardée gentiment, un peu comme si elle me demandait de l'excuser à l'avance de ce qu'elle allait faire.

— Frédérique, j'aimerais que nous soyons seules un petit moment. Ton amie va sortir et...

— Non! Si elle sort, je sors aussi!

Et moi, là-dedans? Je n'avais pas droit à la

parole? Je l'ai prise quand même.

— Je t'attends à côté, ai-je dit fermement à Fred en me levant.

Elle m'a rejointe trois quarts d'heure plus tard. M'affirmant que tout allait bien. Que son coeur battait un peu lentement. Que sa pression était un peu basse. Mais qu'elle n'était pas anorexique.

— J'ai un autre rendez-vous avec le docteur Tremblay dans quinze jours. Elle veut que, d'ici là, j'aie pris un peu de poids. Je vais lui montrer de quoi je suis capable!

Elle le lui a en effet montré.

Deux semaines plus tard, quand elle est montée sur la balance, Fred pesait deux kilos de moins.

Mais, ce jour-là, je n'étais pas à ses côtés.

Dans l'avion

Entre Vancouver et Montréal, le 28 août

Quelle horreur, ces turbulences! Cela fait une bonne demi-heure que l'interdiction formelle de se lever nous a été imposée. *Cours de patience 101* pour les agentes de bord pressées de questions... et pour les vessies pressées tout court.

— Mademoiselle! Vite, mon Mathieu se sent mal!

«Mademoiselle» se porte immédiatement au secours du gamin installé à deux rangées de moi.

Nouveau soubresaut de l'avion. Une secousse qui trouve écho chez le pauvre Mathieu. Heureusement, l'agente de bord est arrivée à temps pour éviter le pire. Ce qui n'empêche pas l'enfant de pleurer. Il a mal dans son corps. Et il a honte dans son cœur.

Je le sais. Oh oui, je le sais!

Chapitre 4

Comme un coup à l'estomac

Montréal, mi-avril

Il pleuvait et je serrais les dents. Il pleuvait et mes genoux protestaient. Il pleuvait et la sueur, mêlée à la pluie, traçait des sillons glacés de part et d'autre de mon nez. À moins que ce ne soient mes larmes...

Peu importe, je pédalais. Tout de creux et de bosses à cause des intempéries hivernales, le chemin des Calèches du mont Royal défilait sous les roues de ma bicyclette. Une première sortie, triste et froide comme la saison qui s'annonçait.

Pour moi, le printemps n'avait pas cette

année le goût de la renaissance. Il portait plutôt le masque grimaçant de la m... Non! Non, je refusais absolument de formuler une telle chose. Même en pensée. Comme si cela avait pu changer quelque chose à la réalité.

Et la réalité se résumait en quelques mots: ma meilleure amie était devenue une «fille de fer». L'expression n'est pas de moi, je l'ai lue dans un roman. Elle ne désigne pas Jeanne d'Arc dans son armure, mais une fille qui possède quelque chose du fil de fer: la minceur. Mais pas la flexibilité. Car une fille de fer, c'est inflexible. C'est soutenu par une volonté de fer.

Une fille de fer, c'est une anorexique.

Anorexique comme l'est Frédérique.

Le verdict est tombé tout à l'heure. Le juge qui l'a prononcé: Jacqueline Tremblay. L'accusée... ou la victime: Frédérique. Le témoin: une balance. La preuve: les deux kilos que ma copine a perdus au cours des deux dernières semaines.

Anorexie. Un verdict sans compromis. Qui, honnêtement, n'a pris personne par surprise. Il y a longtemps que tous les proches de Fred s'en doutaient. Moi inclusivement. Même si, comme ses parents, comme mes parents, je ne me l'avouais pas.

L'anorexie, ça peut frapper tout le monde. Mais pas notre fille, pas la meilleure amie de notre fille. Pas notre meilleure amie!

Mme Poitras-Dumas m'avait téléphoné, un peu plus tôt, en larmes, pour m'apprendre la terrible nouvelle. Quand j'avais raccroché, un monde venait de s'écrouler. Le mien. J'avais cherché autour de moi quelqu'un à qui me raccrocher. J'étais seule. Quelque chose, alors? Mon regard était tombé sur mon vélo. Je venais tout juste de le ramener de Cycles Performance, où il avait subi sa révision du printemps. Il était là, appuyé contre le mur du couloir. Je ne m'étais pas encore changée. Je l'avais enfourché.

Coup de folie? Coup du destin, plutôt.

— Gabrielle! Gab... Ah, c'est vraiment toi! Sur le coup, je n'en étais plus vraiment sûr!

Francis. Francis, à bicyclette lui aussi, est arrivé à ma hauteur. Essoufflé, les cheveux ruisselants de pluie, le nez rougi par le froid. Mais magnifique. Comme toujours. Alors que moi, j'arborais ce que Frédérique appelle mon «*look* cyclo-délinquant printanier»: gants de ski de fond aux doigts coupés, casque orné de graffiti, coupe-vent déchiré dans le dos et réparé au moyen de ruban adhésif noir, épaisses chaussettes de laine enfilées par-dessus les souliers.

Mais, honnêtement, je me fichais de mon allure. Idem pour Francis, semblait-il.

— C'est pas croyable! Tu pédales, toi, quand tu pédales! a-t-il poursuivi en souriant.

Et de le voir rouler ainsi à côté de moi, surgi de nulle part sinon de mon plus cher désir, je me suis mise à pleurer. Mais à pleurer vraiment!

Les yeux brouillés de larmes, la respiration coupée par les sanglots, j'aurais dû m'arrêter. J'ai accéléré. J'ai entendu le juron de Francis, qui venait de ralentir pour porter secours à la demoiselle en détresse que je semblais être. Mais il s'est vite repris et, bientôt, je l'ai senti dans mon sillon. Puis il m'a dépassée. M'intimant l'ordre de le suivre.

Je n'ai pu, pas plus que je n'ai voulu, lui résister.

Bientôt, nous sommes arrivés chez lui. Enfin, chez ses parents. Une maison immense et magnifique, plantée du «bon» côté du mont Royal. Francis nous a préparé un genre de grog pour nous réchauffer. Je ne sais pas ce qu'il y a mis exactement, mais j'ai senti fondre la boule glacée qui me serrait la gorge. Libérant des torrents de peur, de tristesse, de rage impuissante. De mots.

J'ai parlé pendant ce qui m'a semblé être des heures. Francis était là. Je ne m'adressais toutefois pas à lui. J'ai craché ma douleur au visage de cette vie parfois si injuste et si gratuitement méchante.

Et j'ai pleuré mon amie perdue. Mon amie qui m'avait expulsée de sa vie dimanche dernier.

* * *

Je l'avais invitée à bruncher au restaurant, histoire de fêter les vacances de Pâques qui commençaient. Elle riait, semblait d'une humeur du tonnerre.

— *Top shape*, la fille! me répétait-elle. Et la doc qui me croit malade! Franchement!

Elle m'avait alors expliqué qu'elle avait amorcé la journée en exécutant cent redressements assis et une cinquantaine de pompes. Comme tous les matins depuis le début de l'année. Cela faisait partie de ses résolutions et elle s'y tenait.

— Tâte-moi ça, m'avait-elle dit en me tendant son bras fléchi au coude.

J'avais tâté. C'était dur, en effet.

Dur comme un os.

Mais j'avais préféré me taire. Moi aussi, j'avais pris des résolutions. Plus récemment, toutefois. Patience et longueur de temps font plus que force ni que rage, dit le proverbe. Ça allait devenir mon *modus vivendi* avec Fred. Bref, j'avais décidé de garder mon énergie pour la pénible cérémonie du menu. «Prends donc ça, Gabrielle. C'est super bon, ici.» *Et caetera!*

Une surprise m'attendait: Frédérique s'en était tenue à son assiette... qu'elle avait choisie plutôt copieuse. Croissant garni de tomates et d'avocat, le tout recouvert d'une couche de fromage gratiné et accompagné d'une salade de carottes avec vinaigrette crémeuse. Pour arroser le tout, un diabolo menthe. Et, pour conclure, un bol de chocolat chaud bien crémeux.

Je n'arrivais pas à le croire. Fred mangeait! C'est bien simple: la joie m'avait littéralement coupé l'appétit! Et c'était moi qui avais semblé faire la fine bouche. Chose que ma copine, visiblement heureuse de me voir à ce point soulagée, n'avait pas tardé à relever.

— Essaie de finir ton assiette pendant que je vais aux toilettes, avait-elle dit en se levant, un sourire aux lèvres. Et n'essaie pas de refiler le tout à la serveuse: c'est ma complice!

À quelle vitesse j'avais tout avalé! N'importe quoi pour faire plaisir à ma Frédérique enfin retrouvée. Mais qui, pour l'instant, semblait s'être perdue dans le restaurant... Un quart d'heure qu'elle était partie! J'avais attendu cinq minutes de plus, puis je m'étais lancée à sa recherche.

Inquiète, j'étais entrée doucement dans les toilettes. Une seule des trois cabines était fermée. Et le bruit qui m'en parvenait ne faisait aucun doute sur ce qui s'y passait.

J'avais tout d'abord cru que mon amie était malade et j'allais lui demander si elle avait besoin d'aide. Quand, soudain, j'avais tout compris. Je m'étais sentie blêmir. À mon tour, j'avais eu le coeur au bord des lèvres.

C'est à ce moment-là que Fred avait ouvert la porte et s'était trouvée face à face avec moi. Moi, figée dans l'effroi de tout ce que je venais de comprendre. Glacée par le spectacle que ma copine me donnait, là, bien involontairement. Combien de fois avait-elle affronté, dans son miroir, ce visage plaqué de rouge et ces yeux gonflés? Combien de fois avait-elle lavé ces mains aux jointures abîmées et gercées? Combien de fois avait-elle rusé pour dissimuler cette haleine âcre?

Nous nous étions observées, jaugées, pendant un moment. Silencieuses. J'avais senti l'horreur envahir mon regard. J'avais vu le désespoir monter dans celui de Frédérique.

Un seul mot avait alors franchi ses lèvres. Un seul mot, prononcé d'une voix rauque. Éraillée. Montant avec difficulté d'une gorge meurtrie.

— Sors!

* * *

— Je ne l'ai pas revue depuis, ai-je sangloté sur l'épaule de Francis.

Parce que, je ne sais trop comment, j'étais à présent contre lui. Son bras entourait mes épaules. Je sentais sa respiration tout près de mon oreille, sa chaleur qui se mêlait à la mienne. C'était bon.

Mais je savais que mes prochains mots allaient peut-être défaire ce qui n'avait pas encore débuté. Je devais toutefois poursuivre. Par honnêteté envers Francis. Et envers moi. Pour qu'il sache que, dans cette jolie tête qui est la mienne, de bien vilaines et étranges pensées peuvent surgir.

— Quand j'ai compris ce que Frédérique venait de faire... et ce qu'elle faisait probablement depuis des semaines à mon insu, je me suis sentie trahie. Un peu comme... comme si c'était moi qu'elle vomissait.

Je me suis raidie, attendant la réaction de Francis. Son rejet.

— Je... je ne sais pas si tu peux comprendre, ai-je murmuré.

Il s'est alors penché vers moi et doucement, si doucement, m'a embrassée.

Dans l'avion

Entre Vancouver et Montréal, le 28 août

M'enveloppant dans ce souvenir douillet, je ferme les yeux. Rien de mieux que le sommeil pour tromper le temps, non? Mais il y a des années que le Marchand de sable ignore les rendez-vous impromptus que je lui lance! «Tu veux rêver, là, maintenant?», me nargue-t-il. «Eh bien, rêve éveillée!»

Avec un soupir de résignation, je me redresse sur mon siège. Et m'aperçois que plus des trois quarts des passagers ont, pour leur part, opté pour le rêve... hollywoodien. À l'écran, des acteurs se déchirent sur l'air bien connu de l'éternel triangle amoureux.

Dommage que je ne connaisse pas de producteur. J'aurais un triangle beaucoup plus original à lui proposer.

Chapitre 5
La crise

Montréal, fin mai

— Qu'est-ce que tu fais vendredi soir? On pourrait sortir ensemble...

J'ai pris une grande inspiration, tentant ainsi de noyer tout au fond de moi l'exaspération qui n'allait pas tarder à faire surface.

Cela faisait au moins dix fois que Fred me posait cette question-là. Elle connaissait ma réponse. Et elle récidivait sciemment. À moins qu'elle ne soit devenue amnésique et perde la mémoire au même rythme que les kilos!

Mais en ce qui concerne sa mémoire, j'en doutais énormément: jamais ses notes n'avaient été aussi fortes. Et jamais elle n'avait été aussi fière de sa réussite scolaire.

Ça donnait des choses comme: «Combien as-tu eu dans ton travail de français? Quatre-vingt-quinze pour cent (air catastrophé de circonstance)!? Eh bien moi, j'ai eu 96,2...» Conclusion accompagnée d'un petit sourire condescendant que je m'étais mise à détester. Et à vouloir «éteindre». J'y parvenais d'ailleurs de temps en temps. En gonflant parfois mes notes...

Je dois l'avouer: ma meilleure amie m'énervait, m'irritait. Jusqu'au sang. De plus en plus souvent.

— Eh, Gabrielle, tu es dans la lune ou quoi?! a répété Frédérique. Qu'est-ce que tu fais, vendredi soir?

— Vendredi soir, je vais au théâtre en compagnie de Francis, lui ai-je répondu pour la dixième fois. C'est son premier vendredi de congé depuis qu'il travaille à La Criée, et on a décidé de le passer ensemble. Lui et moi. Seuls.

Seuls. Il fallait que j'ajoute ce mot. Que j'insiste dessus. Sinon, je le savais, ma co-pine m'aurait proposé de venir nous rejoindre quelque part après la pièce. Car elle était devenue envahissante, contrôlante, omniprésente. Et ce, depuis que nous nous étions réconciliées.

C'était la journée où le docteur Tremblay avait noté le mot «Anorexique» dans le dossier de Frédérique Dumas. La journée où ma copine avait, pour la première fois, rencontré la psychologue de la Clinique des jeunes, Christine Lavoie, qu'elle voyait à présent chaque semaine.

Et la journée où, à l'ombre du mont Royal, Francis m'avait tendu la main... et ses lèvres.

Forte de cet amour, j'avais foncé chez Fred. Nous nous étions retrouvées. Mon amie m'avait accueillie à bras ouverts. J'avais répondu à son étreinte. Qui semblait ne plus vouloir se relâcher. Qui, en fait, ne s'était plus relâchée. Fred s'accrochait vraiment à moi comme à une bouée de sauvetage.

Dans un premier temps, j'avais vu en cela la preuve de mon utilité à ses côtés. Le Don Quichotte qui sommeille en moi s'était réveillé et j'avais décidé de lutter contre le monstrueux moulin à vent qui voulait du mal à ma copine.

Je n'allais en faire qu'une... bouchée, de

son anorexie!

Mais, au bout de deux semaines de ce régime, je m'étais mise à étouffer. L'être humain amoureux ne se nourrit pas que d'amour et d'eau fraîche: il lui faut également de l'air.

J'avais besoin de temps pour voir Francis et d'espace pour rêver de lui.

J'avais envie de me lover dans ces heures de solitude où une simple sonnerie de téléphone fait dérailler le coeur. Où les baisers échangés la veille passent et repassent sur un écran imaginaire en technicolor et en trois dimensions. Où la nuque frissonne encore au simple souvenir d'une main qui l'a effleurée.

Romantisme à l'eau de rose, peut-être. Mais tellement, tellement magique. Et, avouons-le, bien pratique, quand on aime un gars qui étudie à temps plein et travaille à mi-temps!

Heureusement que, la semaine, nous pouvions nous voir à l'école (youpi!). La plupart du temps, en compagnie de Frédérique (mince!)...

À peine étions-nous installés à la cafétéria qu'elle surgissait avec, à la bouche, son perpétuel «Je peux me joindre à vous?». Et, sans attendre la réponse, elle déposait sur une chaise l'énorme chandail de laine sur lequel elle s'asseyait toujours à présent.

— Il me sert de fesses artificielles, m'avait-elle dit un jour. Essaie d'imaginer comment ce serait si tu devais t'asseoir sur tes coudes! C'est un peu ainsi que je me sens quand je n'ai rien à mettre entre le siège et mon délicat postérieur.

J'avais ri. Jaune.

Aujourd'hui, elle s'était montrée encore plus rapide que d'habitude. Francis était encore en train de payer son repas quand elle s'était pointée à notre table. En lançant sa fameuse question au sujet de mon emploi du temps.

Je venais tout juste de lui répondre quand j'ai aperçu Francis. Qui m'a aperçue à son tour. Qui NOUS a aperçues. J'ai vu son sourire se figer dans le dos de Frédérique. Son regard est devenu froid. On aurait dit qu'un mur venait de s'élever entre lui et moi. Il a fait demi-tour et s'est dirigé vers ses copains.

Mon visage défait a fini par inquiéter Frédérique qui, tournant la tête, a bien vu que Francis me faisait défection.

— Francis ne vient pas manger avec n... avec toi?

J'ai noté le lapsus.

— Non, Francis ne vient pas manger avec NOUS, ai-je répondu le plus sèchement possible.

— Vous vous êtes disputés? a poursuivi mon amie, ses yeux immenses débordant d'une innocence que j'avais de plus en plus de mal à croire.

— Pas encore, ai-je grincé.

Ça ne pouvait pas continuer comme ça. Il fallait qu'on mette les choses au clair.

— Tu veux venir chez moi, après les cours? lui ai-je demandé. Il serait temps que l'on parle un peu...

— ... de notre projet de bande dessinée! a-t-elle complété, la joie illuminant ses traits.

Transfigurée. Je n'aurais pu trouver d'autres mots pour décrire la lumière qui, tout à coup, émanait du visage de Fred.

Cette invitation à la complicité d'autrefois (c'est de cette manière qu'elle semblait voir les choses) était visiblement ce qu'elle souhaitait depuis longtemps. Ce dont elle avait besoin. Et je ne m'en étais même pas rendu compte.

Je me suis soudain sentie moche.

Et je me sentais encore ainsi, quand nous sommes arrivées chez moi. Mais bientôt, l'amitié a pris le dessus sur mes remords. Je lui parlerai plus tard, ai-je décidé. D'abord, voyons ce que «Perdu» va faire cet été.

Assises côte à côte sur le tapis du salon, adossées au canapé, nous avons échangé, griffonné, rigolé. Comme autrefois.

— Attends une seconde, Fred! J'ai une idée, ai-je lancé au bout d'un moment. Il faut que je la note.

Pendant une quinzaine de minutes, j'ai complètement décollé. J'ai l'habitude: c'est ainsi chaque fois que l'inspiration s'empare de mes doigts et que ma cervelle court pour les suivre.

Lorsque j'ai eu terminé, je me suis aperçue que Frédérique était, elle aussi, en pleine «transe créative». Curieuse, j'ai tendu le cou vers la feuille de papier qui recevait ce que je croyais être ses traits de génie.

J'ai eu un choc en voyant s'aligner sur le papier des dizaines et des dizaines de formes géométriques. Des sphères, des triangles, des rectangles. Qui, en y regardant de plus près, se transformaient en fruits de toutes sortes, en pièces montées, en tablettes de chocolat. En nourriture. Fred en ajoutait d'autres, et d'autres encore. Inlassablement. Comme prise de frénésie. Comme si tout son corps, affamé, contrôlait ses mains afin de lancer un appel au secours.

C'est à ce moment qu'un cercle est apparu sur la feuille. Cercle humide qui s'est agrandi tandis qu'un autre apparaissait.

Frédérique pleurait.

— Il faut qu'on parle sérieusement, Gabrielle, a-t-elle murmuré. Je le sais que c'est pour ça que tu m'as invitée. Je ne suis pas folle.

Un petit rire grêle a suivi ces mots, tandis qu'elle relevait la tête.

— Enfin, pas complètement folle, a-t-elle précisé sur le ton de la dérision. Mais j'ai besoin que tu m'aides et que tu me guides, ma chérie. Parce que, aussi incroyable que cela puisse paraître, il y a deux personnes là-dedans.

En disant cela, elle a placé son index sur sa poitrine. Avant de poursuivre.

— Deux personnes qui, je te le jure, s'entre-déchirent tant qu'elles peuvent. Il y a la rationnelle. Et l'autre. La...

Mon amie a dû s'y prendre à deux fois pour terminer.

— La malade, a-t-elle fini par dire en détachant soigneusement chaque syllabe de ce mot, ses yeux vrillés aux miens. Celle qui va chez la psy, chaque semaine. Mais pour l'instant, profites-en, tu as la rationnelle devant toi.

— Je ne peux pas, Frédérique, ai-je répondu au bout d'un moment, la voix tremblante. Je ne peux vraiment pas. Je vais te faire mal, Fred. Tu ne peux pas me demander ça...

Ma meilleure amie a alors éclaté de rire à travers ses larmes. D'un vrai rire, cette fois-ci.

— N'oublie jamais, Gabrielle Perrault, que je suis de la race des survivants.

À ce moment-là, je l'ai sentie si forte. Si grande. Si prête à entendre... et peut-être à comprendre, tout ce qui me minait et grugeait notre amitié. Elle a attrapé ma main, l'a serrée. J'ai répondu à sa pression. Et j'ai parlé.

Je lui ai expliqué ce que je ressentais face aux «deux» Frédérique. D'une part, mon amie de toujours, que j'aime. D'autre part, l'autre.

— Je la hais, ai-je alors éclaté, comme si je parlais véritablement d'une autre personne. Je la hais vraiment, Fred! Parce qu'elle a une attitude détestable. Parce qu'elle est jalouse. Parce qu'elle veut toujours être la première, la meilleure. La seule. Mais surtout, parce qu'elle te ronge.

Pause kleenex, et j'ai continué. Implacablement. Essayant de faire comprendre à ma copine que si elle ne faisait rien, que si elle continuait à maigrir ainsi, l'anorexie allait la tuer. Mais, bien avant d'en arriver là, la maladie aurait tué notre amitié.

Tout y est passé.

Le contrôle qu'elle tentait d'avoir de mes activités, en me demandant sans cesse ce que j'allais faire le lendemain, le surlendemain ou la semaine suivante! Puis, en changeant mes «d'accord, peut-être qu'on fera ça» pour des «oui».

Sa compétitivité sans bornes et son désir grandissant de se mesurer aux autres. À moi, surtout. Et ce, sur tous les plans. Scolaire, principalement.

— Chaque fois que je te dis qu'un prof m'a fait un compliment pour tel ou tel travail, tu me réponds invariablement quelque chose comme: «C'est drôle, il m'a dit ça à moi aussi! Il doit faire ce genre de compliment à tous ses bons étudiants!»

— Ça... ça ne se peut pas, Gabrielle, m'a interrompue Fred, un rien de panique dans la voix. Tu m'as sûrement mal comprise...

Je n'ai pu que soupirer en hochant la tête.

— C'est pourtant vrai. Tu me l'as dit non pas une fois, mais des dizaines. Comme tu m'as lancé à la figure, un jour, que tu ne pourrais absolument pas te satisfaire de notes inférieures aux miennes.

À ces mots, Frédérique s'est tassée sur elle-même. Elle semblait vouloir disparaître. Effacer le monstre que je dessinais de mes mots et qui était... elle.

Je me suis montrée implacable parce que je savais qu'aux côtés de ce monstre s'en tenait un second. Et celui-là avait mon visage. Oui, le mien. Parce qu'au bout d'un moment, j'avais décidé de jouer le même jeu que Fred. Elle voulait me supplanter constamment? Eh bien, j'allais lui donner du fil à retordre.

— J'en suis même venue à éprouver un plaisir extrême chaque fois que j'avais une meilleure note que toi. Parce que je savais que toi, tu réussissais en travaillant comme une... malade. Combien de fois m'as-tu affirmé t'être levée à deux heures, en plein milieu de la nuit, pour réviser la matière d'un examen. «Moi, mes bons résultats, je les obtiens en étudiant NORMALEMENT», me disais-je.

Je me suis fait horreur en prononçant ces mots. Horreur à un point tel que j'ai voulu tout arrêter.

— Vas-y, Gabrielle, a alors insisté mon amie. Il faut crever l'abcès au complet. C'est ce que ma psy me dit tout le temps.

Une volonté de fille de fer.

Et une force que ne laissait pas soupçonner ce corps frêle. Jamais fragilité n'a été plus trompeuse que celle de mon amie.

Je lui ai alors parlé des pointes acerbes et des remarques mesquines qu'elle me lançait, mine de rien, au sujet de Francis.

En fait, ça avait commencé avant que... ça commence vraiment. Francis et moi n'avions pas encore échangé notre premier baiser, que Fred s'était déjà mise à émettre des remarques désobligeantes à son sujet. Et, indirectement, sur moi.

— Quand je te racontais, complètement en extase, telle phrase qu'il m'avait dite ou tel geste qu'il avait fait, tu me regardais d'un air sceptique. Comme si tu me disais: «Franchement, Gabrielle, redescends sur terre. Qui pourrait bien *tripper* sur toi?»

Depuis que Francis et moi formions «officiellement» un couple, ces critiques avaient cédé la place à une curiosité maladive. Elle me poursuivait de «Où en êtes-vous, au juste, dans votre relation?», de «Avez-vous fait l'amour?» ou même de «Il est... fait comment, Francis?».

— Certaines de ces questions, tu n'aurais pas eu à me les poser, autrefois. J'y aurais répondu avant que tu ne m'interroges. Il y a des choses, toutefois, que je ne t'aurais jamais dites. Mais, je le sais, tu ne me les aurais de toute manière jamais demandées.

— Nous avons tous un jardin secret, a complété Frédérique, reprenant une de nos formules préférées.

C'était le titre de la bande dessinée que nous avions réalisée l'an dernier. Quand tout était si différent. Si beau.

Un silence s'est fait. Pas un silence de mort, mais un silence de vie. Doré comme le soleil qui brillait sur notre amitié, il y a si peu de temps et si longtemps à la fois.

— Continue, a murmuré mon amie.

J'ai alors bouclé la boucle. Utilisant l'anorexie en guise de noeud. Je lui ai dit que sa maladie prenait toute la place dans notre relation. Que tout, dans nos conversations, tournait autour d'elle et de son problème. Que rien d'autre ne l'intéressait vraiment. Je n'étais pas dupe: ses remarques indiscrètes au sujet de Francis n'avaient pour but que de me faire de la peine. Mes problèmes, elle s'en fichait royalement. Mes bonheurs, encore plus.

— Et tout ça, ce n'est pas toi, Fred. Il faut... il faut faire quelque chose. Pour toi, pour moi, pour ta famille. Le sais-tu, que ta mère m'appelle au moins deux fois par semaine, pour vérifier si tu ne lui caches rien? Qu'elle pleure au téléphone, à mon oreille... parce qu'elle ne sait plus te parler? Que ton père, oui, ton père si fort et si grand, m'a avoué, à moi, qu'il tremblait pour toi?

Là, l'abcès était complètement vidé. Il ne restait qu'à le panser. D'un mot de tendresse. D'encouragement.

— Frédérique, tu es ma meilleure amie. Je t'aime... et je ne suis pas la seule à t'aimer. Je veux que tu t'en sortes et je suis sûre que tu le peux! Tu le sais, toi aussi, que quelque chose ne va pas, que tu devrais peser plus que 40 kilos?

— Trente-neuf, a alors dit ma copine d'une toute petite voix.

— Quoi?

Je n'avais pas bien compris. Ou, peut-être, je refusais de comprendre.

— Je pesais 39 kilos, hier. Si je tombe à

37, le docteur Tremblay me fait hospitaliser.

J'ai alors senti le désarroi total de Frédérique. Elle s'enfonçait inexorablement dans un gouffre dont elle ne pouvait voir le fond. Elle qui s'était crue si forte se voyait aujourd'hui telle qu'elle était. Un petit oiseau déplumé qui, après s'être pris pour un aigle, s'aperçoit qu'il n'est même pas capable de voler.

Elle a plongé dans mes bras. Je l'ai reçue sur mon coeur. Ça m'a fait mal de refermer mes bras sur ce corps si menu dans lequel se cachait ma meilleure amie. Je l'ai bercée comme un bébé. Elle ne pesait pas beaucoup plus, de toute manière.

Au bout d'un moment, Fred a repris le dessus. Quand elle s'est levée, ses yeux étaient rouges et ses lèvres tremblaient légèrement. Mais son visage exprimait quelque chose que je n'y avais pas vu depuis longtemps. Je n'aurais pu mettre un nom sur ce qui se dégageait alors de Frédérique, mais c'était rassurant.

— Je dois y aller, a-t-elle dit. Il faut que je repense à tout cela, à tête reposée.

Elle a hésité un peu, puis a continué.

— Au fait! Je crois que demain midi, tu devras te passer de moi pour manger. J'ai un truc de prévu. J'imagine que Francis sera heureux de t'avoir pour lui tout seul.

J'ai souri en me levant pour la raccompagner.

À ce moment-là, la porte d'entrée s'est ouverte sur mes parents. Quelque chose a changé dans l'air ambiant. Comme s'il était soudain devenu plus lourd.

Ma mère et mon père semblaient mal à l'aise devant la silhouette malingre qu'affichait ma meilleure amie. Mais je crois surtout qu'ils étaient peinés. Après tout, ils connaissent Fred depuis si longtemps, eux aussi.

Toute à la joie que m'apportait la tournure des événements, je ne me suis toutefois pas attardée sur leurs sentiments. Ma copine partie, je leur ai annoncé la bonne nouvelle. Notre mise au point. Notre amitié, une fois de plus victorieuse.

— Bref, je crois que Frédérique va beaucoup mieux! ai-je conclu.

Ma mère a souri. Mais le coeur n'y était pas. Mon père, par contre, a pris la parole. J'aurais préféré qu'il se taise.

— Tant mieux pour elle, a-t-il dit. J'espère seulement qu'elle n'est pas en train de te refiler sa maladie.

Un coup de couteau ne m'aurait pas fait

plus mal.

— Tu parles sérieusement, papa? ai-je demandé d'une voix blanche.

— Non, non, a-t-il grommelé après une courte hésitation.

Mais les pères mentent parfois. Leurs enfants aussi.

J'ai fait semblant de croire le mien.

Dans l'avion

La jeune femme silencieuse et préoccupée qui est assise à côté de moi se lève soudain, me ramenant sur terre. Elle fouille dans le compartiment placé au-dessus de sa tête. Lorsqu'elle se rassoit, elle dépose sur sa tablette un cahier à dessins dans lequel j'aperçois des esquisses au fusain.

— Vous êtes dessinatrice?

— Oui, répond-elle en souriant. Dessinatrice de mode. Je présente demain mes créations à un couturier. Autant dire que je me sens plutôt dans mes petits souliers! Si j'obtiens ce contrat, ce sera mon premier véritable emploi. Bien sûr, j'ai eu des emplois d'été, mais... ce n'est pas la même chose.

Et pourquoi? Ce ne sont pas de «véritables» emplois, ceux-là?

Chapitre 6

Parmi les requins

L'arrivée du beau temps a toujours un effet bénéfique sur ma petite personne. Les premiers rayons de soleil donnent à mon teint mat un doré qui lui va à merveille. Mieux, en tout cas, que la couleur olivâtre que j'affiche quand l'hiver court ses derniers milles!

Mais cette année, je battais tous les records de bonne mine. Car aux bienfaits de l'astre du jour s'ajoutaient ceux de mon «soleil personnel».

Francis.

Un soleil qui ne se voilait que rarement de nuages et se couchait bien plus tard que l'autre. Ce n'est pas pour rien que je rayonnais ainsi... même si je partais de bien loin, les mois précédents ayant été particulièrement difficiles.

Je ne m'en étais pas aperçue, mais, affectée par les problèmes de Frédérique, je m'étais mise à dépérir. Moi aussi. D'où l'inquiétude de mes parents. Et leur maladresse à mon égard.

C'est finalement Jérôme, avec son tact légendaire, qui m'avait remis les yeux en face des trous. Aïe!

* * *

— Faut que je te parle, Gaby! avait-il lancé en m'interceptant à la sortie de la polyvalente.

— Ouais, tout à l'heure. J'attends Francis, avais-je répondu. Et ne m'appelle pas Gaby, tu sais que je déteste ça.

— Francis, tu le verras plus tard, avait poursuivi Jérôme, imperturbable. Il est au courant et il va venir nous rejoindre tout à l'heure au café du coin.

Curieuse et un peu inquiète, j'avais suivi

mon grand frère. J'avais noté l'urgence dans sa voix. Est-ce qu'il avait des problèmes? À moins que ce ne soit papa? Ou maman? L'idée que ce soit de moi qu'il veuille s'entretenir ne m'avait pas une seconde effleuré l'esprit.

J'étais donc tombée des nues quand il s'était mis à parler. À évoquer ma triste mine. Mon manque d'appétit...

— Et je ne parle pas seulement de ton assiette, Gaby. Je parle de ton comportement général. Tu as une tête de fin du monde! Toi qui as toujours mordu dans la vie à belles dents, tu fais maintenant la fine bouche!

Un vrai poète, mon frère!

— J'ai d'abord cru que ça allait mal entre Francis et toi, avait-il poursuivi. Alors j'ai mené ma petite enquête auprès de lui et...

Et adieu, poésie! Mon sang n'avait fait qu'un tour. Je déteste que l'on fouille dans ma vie. Qui, par définition, est privée.

— Pour qui tu te prends, Jérôme Perrault?! Si tu avais des inquiétudes à MON sujet, tu n'avais qu'à m'en parler à MOI. Ce n'est pas parce que j'ai un *chum* que je deviens soudain irresponsable! Francis, c'est pas mon père! Et... et...

Et mon élan s'était brisé. Je ne savais plus

quoi ajouter.

— Et puis ne m'appelle pas Gaby! avais-je conclu... plutôt bêtement.

Ce qui avait eu le don de faire rire Jérôme. Il venait de retrouver sa soeur préférée, m'avait-il dit.

— Je ne savais pas que tu l'avais perdue, avais-je répondu en me retenant de sourire avec toute la mauvaise foi dont je suis capable.

Nous avions alors parlé. De mon attitude morose, de mon manque d'enthousiasme. Et, surtout, du fait que j'avais perdu pas mal de poids pendant l'hiver.

Ça, ça avait été la goutte qui avait fait déborder l'inquiétude de mes parents. J'étais en train de devenir anorexique, avaient-ils cru. Comme s'il s'agissait d'une maladie contagieuse!

— Je crois bien que je devrais vous faire lire des bouquins sur l'anorexie, avais-je pouffé.

J'avais lu tellement de livres et d'articles sur le sujet que l'appréhension de mes parents et de Jérôme me semblait démesurée et totalement hors de propos.

— Une anorexique, c'est pas seulement une fille qui maigrit, Jérôme. C'est une fille qui a de sérieux problèmes, pas mal plus complexes que ce que tu imagines. Tu en parleras à ton psy...

— Quel psy? Je n'en ai p...

Comprenant qu'il venait de se faire avoir, beau joueur, il avait éclaté de rire. J'avais fait de même. Pour bientôt tendre ma figure, comme vers le soleil.

Francis venait d'arriver.

* * *

Depuis, les choses allaient vraiment mieux. Malgré les travaux à remettre, les examens à préparer, un premier travail d'été à trouver. Et... la razzia que je me promettais de faire très bientôt dans les boutiques à la mode, puisque Francis m'avait invitée au bal des finissants. Où Fred irait également, accompagnant Stéphane Landry — un copain, sans plus.

Mon amie n'avait pas le coeur à l'amour ces temps-ci. Le corps non plus.

— Fred? J'ose à peine la prendre par les épaules, j'ai peur de la casser! m'avait avoué Jérôme lorsque je lui avais demandé ce qui s'était passé... ou, plutôt, ce qui ne se passait plus, entre eux.

— Jérôme? Tu sais, les gars, c'est juste des problèmes, m'avait répondu Frédérique en haussant les épaules, quand je lui avais posé le vice-versa de ma question.

Étonnamment, elle semblait sincère. Mais son désintérêt face à la gent masculine n'était ni permanent ni total. Ce qui explique pourquoi il n'était absolument pas question pour elle de rater une occasion d'aller au bal des finissants!

Bref, elle devait trouver LA tenue appropriée pour «l'heureux événement». Ce qui n'aurait rien, je m'en doutais, d'une partie de plaisir. Pour moi, qui allais vraisemblablement l'accompagner, autant que pour elle, qui, avec le retour du beau temps, avait dû reléguer ses gros chandails au placard. S'exposant aux yeux de tous.

Les têtes qui se retournaient à présent sur son passage ne le faisaient pas pour les mêmes raisons qu'autrefois. Je pouvais lire la pitié sur certains visages. Le dégoût, sur d'autres.

Et Frédérique n'a jamais été aveugle. Seulement anorexique. Ces regards qui s'attardaient sur ses 39... ou 38 kilos, la transperçaient comme autant de balles tirées à bout portant. J'avais mal pour elle.

Comme j'avais eu mal, deux semaines plus tôt, lorsqu'elle avait montré à ses parents le pantalon de cuir qu'elle venait de s'acheter. Une bonne partie de ses économies y était passée. Pour se procurer le vêtement et... pour le faire ajuster. À la taille, aux hanches. Partout, quoi.

— Alors, qu'est-ce que vous en pensez? avait lancé mon amie, en virevoltant.

— Ça serait pas mal plus beau s'il y avait quelque chose dedans, avait murmuré son père.

Si bas, que moi seule l'avais entendu. Et quelle envie j'avais eue de le traiter de monstre sans coeur!

Mais j'avais rencontré son visage empreint de tristesse. Son regard rempli de désespoir. Et d'amour pour cette jeune femme, son enfant, qui se laissait mourir de faim. Et qu'il ne pouvait pas, lui, son père, sauver.

— Et puis, qu'est-ce que tu en penses?

Décidément, l'histoire se répétait. Après l'épisode du pantalon de cuir, celui de la tenue de fête pour le bal des finissants. Avec, encore et toujours, le même résultat. Car un vêtement est fait, par définition, pour épouser les formes d'un corps. Quand ce corps n'a pas de formes, on ne peut pas dire que le résultat soit très harmonieux.

— Toi, est-ce que tu aimes ça? ai-je demandé à Fred.

Je voulais qu'elle réponde par et pour elle-même. Qu'elle cesse de se fier à moi comme elle le faisait tout le temps. Ma parole avait force d'évangile, pour elle. Et cela me pesait. Je le lui avais dit. Rien n'y faisait.

— Ça ne va pas, a-t-elle alors soupiré. Je suis maigre là-dedans.

J'ai noté le «Je suis». «Je suis maigre, là-dedans», venait-elle de dire. Pas «J'ai l'air maigre». Dans sa tête, il lui suffisait de trouver le bon vêtement, le bon camouflage, et elle ne «serait» plus maigre!

Mais elle l'était, maigre. De plus en plus. Elle approchait dangereusement la barre des 37 kilos, qui signifiait l'hospitalisation.

— Je vais y penser, a dit ma copine à la vendeuse, qui n'a pas eu l'air de la croire.

Une fois à l'extérieur du magasin, Frédérique m'a attrapée par le bras. Ses mains étaient tellement froides, malgré le temps si doux pour la saison!

— Il faut qu'on se dépêche! J'ai peut-être trouvé un emploi d'été! Tu m'accompagnes?

Bien sûr, Fred. Tu le sais, «toujours prête» est ma devise, même si je n'ai jamais été dans les scouts...

Nous nous sommes donc rendues à un des bureaux administratifs de la ville, où mon amie a expliqué qu'elle aimerait travailler, pendant les vacances, en tant que surveillante dans une piscine.

Elle était en train de discuter des démarches à entreprendre avec la réceptionniste, quand un homme s'est arrêté près de nous. Grand, les cheveux rares et blondasses, la moustache d'un fox-terrier, la démarche arrogante d'un coq faisant sa tournée quotidienne dans la basse-cour. Il n'avait pas l'air sympathique. Il ne l'était pas.

— Excusez-moi, mademoiselle, a-t-il dit à Frédérique sur un ton obséquieux. J'ai surpris, bien malgré moi, la teneur de votre conversation et, en tant que responsable de l'ensemble de nos piscines municipales, je me vois dans l'obligation de vous prévenir que nous sommes très stricts sur la formation de nos surveillants.

Et bla-bla-bla et bla-bla-bla, tout en étudiant Frédérique comme si elle était la grande soeur de *E.T.* Aussi rapide que l'éclair, Fred a «dégainé» son portefeuille et en a tiré la série de huit écussons de la Croix-Rouge, qui font d'elle une candidate hautement qualifiée pour un emploi de surveillante de piscine.

Pas démonté pour autant, l'homme a poursuivi.

— Vous comprendrez également que ce travail requiert une santé parfaite. Des vies dépendent de nos sauveteurs.

Bien sûr, ai-je pensé. Tout le monde sait que «nos» piscines sont particulièrement dangereuses. Les Noyés Anonymes y tiennent leur réunion hebdomadaire. Et ça, c'est sans compter les attaques de requins... dans les bassins extérieurs seulement. À l'intérieur, tout le monde sait que ce sont les alligators, plus frileux et plus sournois, qui pullulent.

— Je suis en parfaite santé, a alors répliqué Fred, en détachant clairement les syllabes.

M. Girard (puisque tel était son nom, avons-nous appris par la suite) n'a pas eu l'air de la croire une seule seconde. Et il ne s'est pas gêné, sourire méprisant et sourcil levé, pour nous le montrer.

Personnellement, je lui aurais sauté à la figure. Frédérique s'est montrée beaucoup plus subtile. Et beaucoup plus efficace.

Nous sommes parties sans qu'elle remplisse le formulaire de demande d'emploi. Mais, le lendemain matin à la première heure, elle m'a traînée à la piscine où, lui avait appris la réceptionniste, M. Girard faisait chaque matin ses trente longueurs. Quel athlète...

Nous sommes arrivées avant lui. Nous nous sommes changées. Et nous l'avons attendu de pied ferme. Quand il a fait son entrée, il ne nous a pas remarquées, jusqu'à ce que Fred s'avance vers l'eau. Un air de défi dans les yeux, elle a enlevé le peignoir qui cachait son corps efflanqué.

L'homme, gêné, a détourné le regard. Tête baissée, il a plongé. Frédérique a fait de même, une seconde plus tard. Impeccablement, bien sûr. Et elle a nagé, nagé inlassablement.

M. Girard s'est arrêté au bout de trente-six longueurs. Un «exploit» qui nous était probablement destiné.

Essoufflé, il s'est assis au bord de la piscine. Et il a observé Frédérique qui continuait. S'attendant à la voir arrêter d'un moment à l'autre. Mais telle n'était pas l'intention de ma copine. Pas avant d'en avoir fait cent, m'avait-elle dit.

Et elle l'a fait.

Quand elle est sortie de l'eau, ses lèvres étaient bleuies par le froid. Elle tremblait des pieds à la tête. Mais cet éclat dans les yeux! Ce triomphe qu'elle ne s'abaissait pas à montrer à M. Girard: elle lui tournait volontairement le dos. Elle l'ignorait.

Elle a pris son peignoir, l'a enfilé en me faisant signe de la rejoindre. Je me suis empressée.

Il était temps.

Nous étions à peine entrées dans le couloir qui conduit aux vestiaires qu'elle s'est effondrée dans mes bras. Ses dents claquaient, ses lèvres bougeaient sans qu'aucun mot n'en sorte, ses jambes semblaient vouloir s'affaisser sous elle.

— Fred! Que se passe-t-il?!

— Fr... froid, est-elle parvenue à dire. La douche... la dou...

J'ai tout compris. Elle était gelée. Vraiment gelée. Jusqu'aux os. Jusqu'à l'âme.

Je l'ai presque portée jusqu'aux douches, désertes à cette heure matinale. Ce faisant, moi aussi, je tremblais. De peur.

Toujours en la supportant, j'ai arraché son peignoir et fait couler l'eau.

— Plus chaud, a soufflé Frédérique.

J'ai tourné le robinet vers la gauche. En

grimaçant, tandis que l'eau qui me fouettait me brûlait douloureusement. Mais ce n'était pas encore suffisant pour mon amie.

— Plus chaud, a-t-elle encore gémi.

Elle s'est alors emparée du robinet et l'a tourné elle-même. J'ai sauté en arrière. Et j'ai observé.

De la vapeur s'élevait autour de Frédérique, dont je pouvais voir les membres rougis par la chaleur. Mais elle continuait de trembler.

Et c'est là que, pour la première fois, je l'ai vraiment vue. Comme elle était maintenant. J'ai fermé les paupières et, méthodiquement, j'ai effacé l'image que je conservais de Frédérique. L'image que, volontairement ou pas, j'avais tendance à superposer à celle que mon amie présentait aujourd'hui.

Pour aider Fred, il fallait que j'accepte ce qu'elle était devenue. Que je voie ces bras squelettiques. Ces hanches et ces fesses desquelles toute courbe avait disparu. Ces seins inexistants. Ces côtes et ces vertèbres, qui saillaient sous le tissu du maillot de bain. Cette taille qu'un rien semblait pouvoir briser.

Frédérique. Mon amie. Comme un être inachevé. Comme un pantin de bois, un Pinocchio devenu «petite fille» sans que la Fée Bleue lui ait donné les rondeurs de l'enfance. Les rondeurs de la vie.

Tassée dans un coin de la pièce, j'ai laissé monter les douloureux sanglots qui naissaient quelque part au creux de moi. J'ai serré les dents pour ne pas hurler.

J'avais peur. Vraiment peur.

Pour la vie de Frédérique.

Après tout, ne peut-on pas mourir de faim? Vraiment mourir...

— Eh, tu rêves! a soudain lancé ma copine en fermant le jet brûlant.

Instinctivement, j'ai ravalé mes larmes et je me suis redressée, tel un soldat à l'appel de son chef. Prête à obéir? Je n'irais pas jusque-là. Prête à lutter, par contre.

— Non, je ne rêve pas! ai-je riposté. Je suis en plein cauchemar! Frédérique Dumas, tu m'as fait peur! Il faut toujours que tu prouves à tout le monde que tu es la meilleure! Mais regarde-toi, bon sang! Vois dans quel état tu t'es mise!

J'ai cru voir un éclair de frayeur traverser le visage de ma copine. Mais je me trompais peut-être.

— N'empêche, je lui ai montré de quoi je suis capable, à Girard, a noté mon amie en s'essuyant calmement.

Elle n'avait pas tort. Quand nous sommes sorties du vestiaire, il nous attendait. La cravate de travers, les cheveux encore mouillés dégoulinant sur son col de chemise. Il est venu à notre rencontre, en tendant un papier à Frédérique.

C'était un formulaire de demande d'emploi.

Dans l'avion

Entre Vancouver et Montréal, le 28 août

— Mesdames et messieurs, veuillez attacher votre ceinture, nous amorçons notre descente vers Toronto.

C'est vrai! J'avais oublié cet arrêt à la Ville Reine! Dire que sans cela, je serais à Montréal dans une heure au lieu de deux. Eh, que c'est long, les voyages de retour! Bien plus long que les voyages... de départ.

Tout le monde, dans l'avion, commence à en avoir assez. On sent la fatigue et l'ennui. Même le bébé blotti contre sa mère, de l'autre côté de l'allée, vient de se réveiller. Le changement de pression lui fait sûrement mal aux oreilles. Il pleure.

Exactement comme ELLES pleuraient.

Chapitre 7

À toute vitesse

Montréal, fin juillet

Et hop! je suis descendue du trottoir. Et re-hop! je suis montée sur l'autre. Ah, des escaliers! Dix marches, à tout casser... Pas de problème. J'ai agrippé mon guidon fermement et pop-pop-pop-pop... je suis arrivée en bas. Telle une *cow-girl* descendant de sa monture, j'ai sauté sur le sol et, en moins de temps qu'il ne faut pour dire «Haut les mains!», j'ai attaché mon vélo à un poteau au moyen de mon cadenas en U. Un coup d'oeil sur ma montre: j'étais dans les temps.

Normal. J'avais répété cette scène de

douze à vingt-cinq fois par jour depuis un mois. À des fins professionnelles, s'il vous plaît: dès la fin des classes, j'avais commencé à travailler pour une compagnie de livraison de courrier. J'étais devenue messagère... à bicyclette. Sur mon vélo de montagne, je sillonnais le centre-ville de Montréal. Nourrissant mes poumons de gaz carbonique, abreuvant mes oreilles du bruit des moteurs et des coups de klaxon.

Mais je n'aurais donné ma place pour rien au monde. J'aimais tout de ce boulot. Le fait d'être à vélo toute la journée. Le sentiment d'appartenance à ce groupe encore restreint qu'est celui des messagers... non motorisés. L'étonnement qui se lisait sur le visage des gens qui attendent un courrier traditionnel et se retrouvent face à face avec un cycliste... qui s'avère UNE cycliste (l'étonné passe alors en seconde vitesse, se faisant ahuri).

Et le «*look* cyclo-délinquant estival» (short déchiré enfilé sur un cuissard, t-shirt aux manches coupées, casque aux motifs... personnalisés, lunettes au *design* futuriste) que je partageais avec mes pairs.

Je formais par contre un couple plutôt hétéroclite avec Francis, lorsque j'allais le rejoindre à La Criée. Où pantalon noir, chemise blanche et noeud papillon sont de mise!

Drôle de couple, quoi. Que tout le monde ne trouvait pas toujours drôle. Ma mère, par exemple.

* * *

— Gabrielle! Ma grande! Ça y est! Ça y est! Ça...

C'était ma mère. Nicole Perrault en personne, qui venait tout juste de rentrer d'un «souper de filles». Et voilà qu'elle s'engouffrait dans le salon où Francis et moi étions en grande conversation (c'est fou ce qu'on peut dire avec autre chose que des mots).

Sa figure était rouge d'excitation (je parle de ma mère, et non de Francis) et elle sautait sur place. L'image même de la meneuse de claque... pour peu qu'on lui ait trouvé une équipe de football: le téléphone sans fil en guise de pompon, un tailleur strict en guise de jupette, des souliers à talons aiguilles en guise d'espadrilles.

Francis et moi avions échangé un regard perplexe. Ma mère est du genre réservé. Réservé... pour les grandes occasions. Or c'en était une. Ma cousine Stéphanie, qui vivait depuis trois ans à Vancouver, venait d'accoucher. Et deux fois plutôt qu'une.

— Imagine, Gabrielle! Des jumelles! Elles vont s'appeler Éliane et Roxanne. Philip est...

Ma mère s'était brusquement interrompue, fixant le téléphone d'un air atterré.

— Philip! s'était-elle écriée, dans le combiné. Vous êtes toujours là?

Il y était. Ma mère, encore plus rouge, bredouillait des excuses. J'avais éclaté de rire et, quittant les bras de Francis, je lui avais dérobé le téléphone.

— Salut, Phil! Raconte-moi tout, *please*, ma mère est en état de choc!

Et il m'avait tout raconté, le beau cousin. L'accouchement avait été long et pénible. En ce moment, Stéphanie dormait encore et les bébés étaient en couveuse. À cause de leur petit poids.

— Elles sont vraiment très, très petites. Que de la peau et des os, a-t-il tenté de m'expliquer avec son charmant accent. Elles ont besoin de la chaleur, tu comprends?

Tu parles, si je comprenais. Je venais d'avoir une horrible vision. Frédérique, recroquevillée dans un minuscule lit d'hôpital, bombardée par des rayons au moyen desquels on tenterait de réchauffer son corps glacé.

— Tu veux les entendre?

— Pardon?

J'en avais perdu un morceau!

— Je peux te faire entendre les *girls*, m'avait expliqué Philip. Je les ai enregistrées.

Et, sans attendre ma réponse, il avait appuyé sur un bouton et je les avais entendues.

Ça m'avait donné un choc. Les bébés, je ne connais pas vraiment ça. Et pourtant, j'avais compris tellement de choses à travers ces cris! J'y avais perçu de la colère, de la frustration et, j'en étais sûre, de la peur. Éliane et Roxanne venaient d'arriver dans un monde nouveau sur lequel régnaient un froid cruel et une lumière douloureuse. Elles n'en voulaient pas, de ce monde! Elles voulaient retourner dans leur nid douillet. Mais allez dire ça à leur mère!

Bref, j'avais eu les larmes aux yeux.

Après avoir rendu le téléphone à ma mère, j'étais allée me nicher tout contre Francis. Qui m'avait accueillie d'un petit baiser sur la tempe. Et d'un autre sur chacune de mes paupières, effaçant tout voile de mélancolie.

Ma mère avait raccroché, le regard perdu

dans le vague.

— C'est merveilleux, non? avait-elle murmuré, soudain pensive. Deux petites filles!

Il faut dire qu'elle adore les enfants. Heureusement: il y a bien une vingtaine d'années qu'elle enseigne en maternelle.

Puis, avec un petit soupir et en faisant référence à sa soeur Jeanne, la mère de Stéphanie, elle avait ajouté quelque chose comme: «Quand je pense qu'un jour, moi aussi je serai grand-mère!»

Un sourire s'était alors lentement dessiné sur les lèvres de Francis et une lueur s'était allumée dans ses yeux. Je l'adore quand il est ainsi. Mais, en même temps, j'appréhende ce qu'il mijote.

J'avais bien eu raison de me méfier!

— Justement, Gabrielle et moi, nous pensions nous y mettre bientôt, avait-il dit sur un ton badin, en me donnant un petit coup de coude dans les côtes.

Disons simplement que ma mère ne l'avait pas trouvé drôle. La meneuse de claque s'était presque transformée en donneuse de claques.

* * *

Et moi, c'était une belle... tête à claques

que je venais de rencontrer! Le prototype même du macho.

— À faire du vélo toute la journée, tu dois avoir les cuisses drôlement musclées, venait de me dire mon dernier client de la journée. Ça ne dérange pas ton *chum*?

Mon sang n'avait fait qu'un tour.

— Et votre blonde, ça ne la dérange pas que vous ayez une petite tête?! avais-je lancé en m'en allant.

J'étais donc d'une humeur massacrante lorsque je suis arrivée au Végétarien. Je n'allais pas y manger, mais simplement retrouver Frédérique, qui travaillait dans ce restaurant. Au pied levé, elle avait en effet accepté de remplacer la grande Caroline, une copine de l'école, qui devait s'absenter de la ville pendant un mois. Elle accompagnait ses parents à Paris, la pauvre! Or, si Caro quittait son emploi, elle le perdait. La pauvre, bis!

Toujours prête à rendre service, Fred avait pris sa place... pour la moitié de l'été. Sans toutefois quitter son emploi de surveillante à la piscine. Ses parents avaient tenté de s'opposer. Sans résultat. Une «fille de fer», ça vous entortille quelqu'un autour du petit doigt en criant ciseau!

Ainsi, depuis trois semaines, Frédérique

travaillait de neuf heures à minuit, cinq jours par semaine.

— De toute manière, je n'arrive plus à dormir, m'avait-elle répondu lorsque je lui avais fait part de mon inquiétude.

Rassurant, ça!

Mais, ce qui était incroyable, c'est que jusqu'au week-end dernier, mon amie avait tenu le coup. En fait, elle débordait d'énergie. Sans dormir. Sans manger. Ou si peu.

Puis, d'un seul coup, on aurait dit que la fatigue accumulée avait fondu sur elle. Et qu'elle-même avait fondu. Pourtant, il ne lui restait pas grand-chose à perdre! C'est d'ailleurs ce que je comptais lui faire remarquer ce soir, puisque nous passions la soirée ensemble.

— Salut, Fred! ai-je lancé en arrivant devant Le Végétarien, où elle m'attendait à côté de sa bicyclette.

Car elle aussi utilisait ce moyen de transport. Ce qui, à mon sens, lui faisait un emploi du temps débile.

Elle se levait vers six heures, faisait ses je-ne-sais-plus-combien de redressements assis et de pompes. Puis, elle mangeait (mon oeil!), enfourchait sa bicyclette et roulait une vingtaine de kilomètres pour se rendre à la piscine. Là, elle nageait cinquante longueurs avant l'ouverture du bâtiment. Elle surveillait ensuite petits et grands monstres jusqu'à 16 h 30. Un repas avec ça? Non merci, je n'ai pas faim.

Elle avait alors une heure trente pour filer au Végétarien, à vingt-trois kilomètres et demi de la piscine, et pour manger une bouchée (surtout pas deux) avant de s'installer à la caisse jusqu'à minuit.

«*Top shape*, la fille», me répétait-elle. «Folle dingue», me retenais-je d'ajouter.

Même l'idée d'une soirée entre nous n'avait pas l'air de la réjouir outre mesure. Assise à côté de son vélo, elle mordillait ses lèvres sèches. Sa frange de cheveux ternes pendait devant sa figure. Elle avait l'air soucieuse. Ma mauvaise humeur s'est envolée, laissant place à l'inquiétude.

— Ça ne va pas? lui ai-je demandé en m'asseyant à côté d'elle sur une marche d'escalier.

— Bah! Pas mieux ni pire qu'à chacun de mes rendez-vous avec le docteur Tremblay.

— Tu dois y aller ce soir?! me suis-je exclamée sans pouvoir cacher ma déception. On devait travailler sur notre bande dessinée!

Ma copine m'a fusillée du regard.

— Tu crois que j'ai envie d'aller la voir, celle-là?! Un vrai pot de colle! On dirait qu'elle ne peut plus passer trois jours sans me voir. J'y suis allée lundi. «Pas de problème, ma belle Frédérique. On se revoit la semaine prochaine.» Sauf que là, elle a reçu les résultats des tests qu'elle m'a fait passer je ne sais plus quand. Et elle doit absolument m'en parler. Elle a téléphoné chez moi tout à l'heure. Ma mère vient de m'appeler pour me faire le message.

La voix de Fred tremblait mais pas seulement de colère. Une peur folle filtrait entre ses mots.

— T'en fais pas, ai-je soupiré. Je ne te laisse pas tomber. On a dit qu'on passait la soirée ensemble, on la passe ensemble. Envers et contre tous les médecins du monde! Au fait, il est à quelle heure, ce rendez-vous?

Il était à dix-neuf heures. J'ai fait remarquer à mon amie que cela nous laisserait largement le temps de travailler, plus tard, à notre oeuvre formidable... qui faisait plutôt du surplace depuis des semaines. Frédérique a esquissé un pauvre sourire. Probablement le reflet du mien.

Après être passées chez moi pour que je me change, nous sommes allées chez ma copine afin qu'elle se prépare pour ce rendez-vous impromptu. Sa mère était là, inquiète. Prête à nous accompagner.

— Pas question! a aboyé Fred.

— Mais enfin, Frédérique... a commencé Monique Poitras-Dumas.

— J'y vais en compagnie de Gabrielle, l'a interrompue Fred. Regarde-toi, maman. Tu ne tiens plus debout. Tu es arrivée de L'Annonciation au milieu de la nuit et je parie que tu ne t'es pas recouchée de la journée.

«Et toi, Frédérique? ai-je pensé. Tu t'es beaucoup reposée, aujourd'hui? N'essaie pas de me leurrer avec tes supposées préoccupations concernant ta mère. Je me demande plutôt ce que tu tentes de lui cacher. Et, sans doute, de cacher à tout le monde.»

Comme elle le faisait de plus en plus ces derniers temps, Mme Poitras-Dumas a rapidement baissé pavillon devant la volonté de sa fille. De toute manière, elle téléphonerait au docteur Tremblay, demain à la première heure, nous a-t-elle fait savoir avant de se diriger vers sa chambre.

Peu après, il m'a semblé entendre des sanglots provenant de la pièce où elle venait de disparaître.

— Arrête de t'inquiéter ainsi, m'a répondu mon amie en haussant les épaules, lorsque je lui ai mentionné la chose. Ma mère s'énerve pour rien.

Pour rien, vraiment? Son père était à moitié paralysé. Sa fille se laissait mourir de faim. Pourquoi Monique Poitras-Dumas s'en serait-elle fait?! Oh, Frédérique... J'en ai des choses à te dire et des points à te mettre sur les «i»!

Mais, comme d'habitude, elle ne m'en a pas laissé le temps.

— Attends-moi un instant, m'a-t-elle dit au moment où nous allions partir chez le médecin. J'ai oublié un truc dans ma chambre.

Quelque chose dans sa voix a déclenché mes soupçons. Je l'ai donc suivie, discrètement. Et, par la porte de sa chambre laissée entrebâillée, je l'ai vue porter à ses lèvres une bouteille d'eau minérale. Un grand format. Un litre et demi, je crois. Fred buvait à longs traits. Prenait une grande respiration. Et recommençait à boire.

— Eh, ce n'est pas une échographie que tu vas passer! me suis-je exclamée en entrant dans la pièce.

La panique qui a figé le visage de mon

amie m'a tout fait comprendre. L'explication était simple. Mathématique. Un litre d'eau pèse un kilo. Une balance, même une balance de médecin, ne peut faire la différence entre un kilo de liquide dans un estomac et un kilo de chair, de muscles. De vie, quoi!

— C'est... c'est fou, ai-je murmuré en me laissant tomber sur le lit de mon amie. Complètement fou.

Et, surtout, cela n'a servi à rien. Frédérique pesait maintenant 36,5 kilos. Sa pression avait encore baissé. Tout comme son pouls et la température de son corps. De plus, selon les prises de sang dont le docteur Tremblay venait de recevoir les résultats, ma copine faisait maintenant de l'anémie. Et pas qu'un peu...

— Écoute, ma belle, a dit le médecin. Lundi, quand nous nous sommes aperçues que ton poids avait atteint les 37 kilos, ta mère et moi avions accepté de te laisser une dernière chance.

Tiens, tiens... Fred avait «omis» de me parler de ça.

— Tant pis pour toi, tu l'as laissée passer, a poursuivi le docteur Tremblay, dont la voix s'était durcie. Maintenant, je ne joue plus. Je remplis les papiers pour te faire hospitaliser.

Je veux te voir demain à la première heure avec tes parents. Et je téléphone immédiatement à ta mère pour le lui apprendre. Je crois que tu as tendance à «oublier» de lui communiquer certaines choses.

Je me serais attendue à ce que Frédérique se redresse, telle une justicière, pour refuser tout internement. Combien de fois m'avait-elle dit qu'elle ne se laisserait pas «enfermer chez les fous».

Mais elle n'a rien dit. Petit paquet d'os recroquevillé sur lui-même, elle avait entendu le verdict. Elle n'avait plus la force de s'y opposer. En fait, je crois que le docteur Tremblay aurait pu hospitaliser Frédérique immédiatement.

L'anorexie avait brisé mon amie.

Je ne sais pas pourquoi, mais j'ai soudain pensé à *La chèvre de monsieur Seguin*, ce conte d'Alphonse Daudet qui m'avait tellement fait pleurer durant mon enfance. Toute la nuit, la petite chèvre orgueilleuse avait lutté contre le loup. Et, au lever du soleil, quand le coq avait chanté, elle avait abandonné la partie. Laissant les dents du loup se refermer sur elle. Comme la porte de l'hôpital allait se fermer sur Frédérique.

Mais l'issue serait différente. Elle devait

l'être. La petite chèvre blanche était morte. Fred allait vivre.

— Ne t'en fais pas, je serai là, ai-je murmuré plus tard à mon amie.

J'ignorais encore que cela me serait impossible.

En arrivant à la maison, ma mère m'attendait, assise dans le salon, les traits défaits, une jambe allongée. La cheville plâtrée.

— Qu'est-ce qui t'est arrivé!? me suis-je écriée, prise de panique.

— Oh, ça? C'est rien, a répondu ma mère en haussant les épaules. Une autre entorse. Ça faisait, quoi? Deux ans, que je ne m'étais pas foulé la cheville? J'étais due! Mais cette fois-ci, le médecin a décidé de me plâtrer... pour me faire tenir tranquille.

Le ton sarcastique de ma mère ne m'a pas plu. De même que ses traits tirés.

— Ne fais pas cette tête, maman! ai-je lancé en souriant. Je vais m'occuper de toi.

Elle a soupiré et m'a fait signe de venir m'asseoir près d'elle. Et elle m'a révélé le véritable objet de son inquiétude. Elle venait de recevoir un coup de téléphone de Vancouver. C'était ma tante Jeanne. Elle était à bout, Philip aussi. Quant à Stéphanie, n'en parlons pas! Physiquement et moralement, elle ne parvenait pas à remonter la pente. Et hier, elle était entrée à l'hôpital, victime d'une hémorragie.

— Ils espèrent tous, là-bas, que je puisse aller leur donner un coup de main pendant un mois, a-t-elle dit en montrant de la main son pied plâtré.

Puis, elle m'a regardée intensément. De ces yeux verts si semblables aux miens.

— Gabrielle, je sais que c'est un bien mauvais moment pour te demander ça. Mais... tu ne voudrais pas y aller, toi?

Ma gorge s'est serrée.

Vancouver? Pendant un mois? Trente jours à l'autre bout du pays, sans Francis? Juste au moment où Frédérique se faisait hospitaliser? C'était impossible! Impossible de partir.

Et impossible de refuser de partir.

Dans l'avion

Aéroport de Toronto, le 28 août

Le bébé s'est tu au moment où les roues de l'avion ont touché la piste d'atterrissage. Et deux autres passagers, plus âgés, l'ont remplacé. Beaucoup plus discrètement, mais offrant un spectacle au moins aussi déchirant. Il descend ici, à Toronto. Elle continue jusqu'à Montréal. Leurs baisers ont probablement un goût amer. Comme un avant-goût de mort. Ne dit-on pas que partir, c'est mourir un peu?

Un goût que je connais bien. Qui me hante depuis un mois. Le goût du départ. Que rien n'efface, sinon celui du retour. J'espère.

Chapitre 8

Séparations

Montréal et Vancouver, fin juillet

Ç'a été comme si ma vie entrait dans un maelström. Les événements et les gens m'ont bousculée, sans tenir compte de mes sentiments. C'était peut-être mieux, puisque je ne savais plus trop où j'en étais.

C'est ainsi que je suis arrivée à Dorval. M'accrochant à Francis, ne lâchant pas la main si frêle de Frédérique, ne quittant pas du regard mon grand frère Jérôme.

— Profite de ton séjour là-bas, Gabrielle, a murmuré Francis à mon oreille, lorsque le troisième appel d'embarquement s'est fait entendre. Rapportes-en de belles images, en photos, mais surtout dans ta tête. C'est là qu'elles se conservent le mieux.

Je me suis raidie dans ses bras, déçue par ces paroles d'adieu. Même si je savais pertinemment que s'il avait dit autre chose, ça n'aurait pas été lui. Francis n'est pas du genre démonstratif. En tout cas, pas dans le sens mouchoir blanc sur le quai de la gare... ou dans les couloirs de l'aéroport.

Il s'est penché vers moi et m'a embrassée doucement. Sa main s'est attardée sur ma nuque. Et, tandis que mon Niagara personnel allait jaillir de sous mes paupières, il m'a pris le menton, l'a levé vers lui. L'espace d'un instant, ses yeux ont pris racine dans les miens. Il n'a pas eu besoin de parler. J'emportais un morceau de lui, fiché en plein dans mon coeur. Tout comme quelque chose de moi restait auprès de lui. En lui.

Je me suis ensuite tournée vers Fred. Elle affichait un air calme. Presque serein. À cause de différentes formalités administratives, son entrée à l'hôpital avait été retardée de quelques jours. Mais le sursis prenait fin demain. Et cela semblait la soulager.

J'ai plaqué un baiser sur chacune de ses joues. Elle a repoussé une longue mèche brune qui me tombait sur l'oeil, avant de me décocher un sourire confiant.

— Je ne veux pas que tu t'inquiètes, Gabrielle, a-t-elle dit. Je vais être en bonnes mains... et belles également, j'espère. Je vais obéir en tout. Je vais me gaver autant que les médecins le voudront. Parce que je veux être ici, dans un mois, pour t'accueillir.

Je n'ai pu m'empêcher d'avoir l'air sceptique. Fred a compris pourquoi.

— Eh, je ne te dis pas que je serai complètement guérie! s'est-elle exclamée. Il y a longtemps que je ne crois plus aux miracles! Tout ce que je te dis, c'est que je vais m'arranger pour avoir une permission spéciale afin de venir te voir, le jour de ton retour. Après tout, ce n'est pas au bagne que je vais, seulement à l'hôpital. Enfin, j'espère...

Impulsivement, elle s'est jetée à mon cou. Nouvelles bises. Nouvelles promesses.

— Allez, les filles, lâchez-vous! a lancé Jérôme, avec son savoir-vivre habituel.

Puis, s'avançant vers moi, il m'a serrée contre lui.

— Ne t'en fais pas, a-t-il dit. Je m'occupe de tout, Gaby...

Pour une fois, l'idée de lui dire «Ne m'appelle pas Gaby» ne m'a pas effleuré l'esprit.

J'ai ensuite dû les quitter. Francis, avec qui j'ai échangé un dernier «Je t'aime». Frédérique, qui m'a répété «Je serai là».

Et puis, voilà. Après un moment d'accalmie, le maelström s'est de nouveau déchaîné, m'emportant jusqu'à l'autre bout du pays. Où Philip m'attendait. Sourire aux lèvres. Et cernes sous les yeux.

Deux jours plus tard, j'en arborais d'ailleurs de semblables!

Un nouveau-né, il paraît que c'est épuisant. Deux, c'est au moins dix fois pire! Il y en a toujours un qui pleure, qui a faim ou à qui il faut changer la couche. Quand l'un se calme, l'autre prend la relève. Un véritable coup monté!

Mais, aussi, un véritable coup de foudre. Éliane et Roxanne, ce sont deux petites boules de chaleur et d'amour. Même épuisée, éreintée, exténuée, il me restera toujours assez de force pour les aimer... mais pas assez pour me demander pourquoi!

— Je t'adore, ma puce, ai-je alors murmuré à Éliane qui était là, nichée au creux de mes bras, buvant avidement son biberon.

A-t-elle compris? Sûrement pas. Disons plutôt que ma voix l'a fait sortir de sa léthargie. Elle a ouvert grand les yeux. Et, de chaque côté du biberon, sa bouche s'est étirée en un sourire. Le premier qui m'était vraiment destiné, à moi! Je me suis sentie fondre d'amour. J'ai caressé doucement sa cuisse nue, si douce à cause du...

J'ai tressailli et, instantanément, ma vue s'est brouillée. Ce corps de bébé, entièrement recouvert d'un fin duvet, presque invisible, m'en avait rappelé un autre.

— Regarde mon ventre, m'avait dit Frédérique, un soir qu'elle couchait chez moi. Tu vois ce duvet? Il m'en a poussé partout. Le docteur Tremblay m'a expliqué que c'est le moyen que mon corps utilise pour lutter contre le froid, puisque je n'ai plus de réserves de graisse. Exactement comme les nouveau-nés.

Fred! Où en était-elle, aujourd'hui? Elle était entrée hier à l'hôpital...

— Du courrier pour toi!

De sa voix encore fatiguée, Stéphanie a interrompu le fil de mes pensées.

— Pour moi?! ai-je répondu, étonnée. Ça ne se peut pas, je viens d'arriver!

Pourtant, l'enveloppe que me tendait Steph m'était bel et bien adressée, d'une écriture qui m'était plus que familière. Sacrée Frédérique! Même à l'autre bout du pays, il suffisait que je pense à elle pour qu'elle me «réponde».

— Donne-moi la petite, a dit Stéphanie, qui me voyait prête à utiliser mes dents pour ouvrir la lettre.

J'ai alors piqué un sprint jusque dans ma chambre, plongé sur mon lit, déchiré l'enveloppe. Puis j'ai lu. J'ai ri. Et j'ai pleuré.

Montréal, le 29 juillet

Salut, Gabrielle!

Surprise, surprise! C'est déjà moi. Je viens de revenir de l'aéroport et je m'ennuie déjà trop de toi, alors je vais te raconter les nombreuses péripéties de notre retour. Tout d'abord, ton cher Francis pleurait tellement qu'il a été incapable de conduire. J'ai pris sa place au volant et...

Bon, allez, assez de stupidités. Il t'aime, le Francis, mais pas de là à remettre sa vie entre mes mains! Il tient trop à te revoir. Idem pour moi. D'ailleurs, si je t'écris, là, maintenant, tout de suite, c'est parce que j'ai l'impression que je ne pourrai pas le faire au cours des jours qui viennent.

D'après ce que j'ai compris, le seul «plai-

sir» qui me sera offert à l'hôpital (alléluia!), c'est celui de manger. Tranquillement, quand je prendrai du mieux (comprendre: des kilos), j'obtiendrai la permission de faire des choses qui ME plaisent. Le droit de regarder la télévision (beurk!), de recevoir des visites (mais tu n'es pas là!). Et caetera!

Mais ce qu'il y a de terrible, là-dedans, c'est que l'enfer que me promet le docteur Tremblay semble presque charmant en comparaison de celui dans lequel je suis plongée depuis des mois. Et peut-être même des années, si je comprends bien ce qui ressort de mes séances avec Christine Lavoie, «ma» psychologue attitrée. La psychologie, c'est peut-être complètement dingue, mais ce n'est pas fou!

Bref, avant de me laisser enterrer (à moitié) vivante... pour mieux ressusciter bien sûr, je veux te raconter une histoire triste. L'histoire d'une peur. Celle qui fouille mes entrailles, tel un vautour. La peur de mourir.

Combien de fois t'ai-je dit que je faisais de l'insomnie! Je ne t'en ai jamais expliqué la raison. Elle est pourtant aussi simple qu'elle est terrible. J'ai peur de ne plus me réveiller. J'ai peur que mon coeur, qui bat déjà si faiblement, ralentisse encore plus *pendant mon sommeil. Et qu'il finisse par «oublier» complètement de battre.*

Et puis j'ai peur quand, soudain, tout se met à tourner autour de moi et que le plancher se dérobe sous mes pieds. Eh oui! Je m'évanouis aussi bien que les héroïnes des grands romans classiques. Sauf que mon «corset», celui qui m'empêche de respirer... et de manger, se trouve dans ma tête. C'est cela qui est si terrifiant. De savoir que «l'ennemie» est en moi. Que «l'ennemie», c'est moi.

Moi, cette inconnue qui surgit dans le miroir, les rares fois où, entre deux battements de paupières, je parviens à me «voir» telle que, paraît-il, je suis.

Moi, cette fille au visage anguleux, aux bras squelettiques, aux jambes en cure-dents, aux cheveux ternes comme de la paille, aux ongles plus cassants que du bois trop sec, aux gencives qui saignent.

Moi, semblable à cette peau de chagrin... tu sais, comme dans ce roman de Balzac que j'ai tant aimé. Cette peau qui rétrécit au fur et à mesure qu'elle donne LE pouvoir à celui qui la possède. Ou, dans mon cas, à celle qui la porte. Jusqu'au jour où elle disparaît, cette peau de chagrin. Où elle disparaît complètement, entraînant dans la mort celui qu'elle a rendu si puissant.

Mais où est-il, aujourd'hui, ce sentiment de toute-puissance que j'ai éprouvé pendant... combien de temps au juste? Six mois? Sept mois? Un an? Il me semble très loin en ce moment, tandis que je t'ai au bout du... crayon. Je sais toutefois qu'il ne demande qu'à refaire surface. Car je suis intoxiquée. On s'accoutume bien vite à l'ivresse que procure le pouvoir. Pouvoir sur soi et contrôle de tous les autres.

Manipulés, les profs... qui m'ont permis de remettre des travaux en retard. Tu l'ignorais? Je le sais bien! Je ne m'en suis pas vantée!

Manipulés, mes parents. Ce que j'ai pu leur en faire baver! Je me déteste pour cela. Ils s'en sont tellement voulu, convaincus d'être responsables de mon état. Ma «maladie» n'avait-elle pas commencé au moment où, selon leurs termes, ils s'étaient mis «à me négliger»? Je ne les ai pas démentis. Peut-être que je les croyais «coupables»... Rien n'est aussi simple, surtout pas l'anorexie!

Finalement toi. Manipulée? C'est ce que je souhaitais. Mais tu n'as pas fléchi. Ou si peu. *Tu refusais de te plier à ma volonté. C'est peut-être pour cela, à cause de cette réticence, que ta présence m'est devenue indispensable. Comment? Pourquoi? Je n'en sais rien, Gabrielle. Je ne suis pas la psychologue, seulement la malade.*

Une malade qui ne se souvient plus de ce que veut dire «avoir faim». Une malade qui ne sait même plus ce que signifie «prendre un repas normal». Il va falloir que les médecins m'indiquent quoi, quand et combien manger. Comme tu le fais avec ces bébés dont tu t'occupes... et que, dans un certain sens, j'envie. Bébé Frédérique. Des «jumelles» à moi seule.

Parce qu'il y a toujours ces deux filles en moi. Celle qui est en train de t'écrire, légèrement fêlée, mais sympa comme tout. Et l'autre, la malade. Le tyran. Qui ne se laissera pas faire, je le sens. Et je l'appréhende. Parce que devant elle, je suis sans volonté. C'est elle, la «fille de fer». Pas moi!

C'est elle qui m'entraîne dans la salle de bain. Qui me force à monter, vingt fois par jour, sur la balance. Qui me fait courber l'échine pour que je m'accroupisse devant la cuvette des toilettes. Et que je vomisse. Non seulement la nourriture, mais mon âme aus-

si... Dis donc, ma chérie, c'est d'un exorciste que je vais avoir besoin, pas d'un médecin!

Tu sais, Gabrielle, je n'ai cessé de m'enfoncer dans cette folie jusqu'à notre «grande conversation», quand tu m'as lancé à la figure tout ce que tu avais sur le coeur. Je t'ai écoutée parler de cette fille horrible, de ce monstre, et je me disais: «Non! Ce n'est pas moi! Je ne suis pas ainsi!» Tout en sachant fort bien que... oui, c'était moi! En te quittant, ce jour-là, je suis allée dans un café. Histoire de faire le point.

Je suis restée là pendant des heures. Tes mots tourbillonnaient dans ma tête. Parfois, il y en avait un, particulièrement tranchant, qui me faisait saigner par l'intérieur. Comme cela m'était déjà arrivé à quelques reprises.

Car parfois, bien involontairement, tu m'as fait mal. Quand tu étais avec Francis, par exemple. Si tu savais combien je t'ai enviée! Je n'ai pas dû être drôle tous les jours, hein? Mais c'était malgré moi. J'étais seule en face de vous deux, qui flottiez dans vos beaux rêves. Et je vous jalousais. Je me demandais pourquoi, moi, je n'avais personne. Même Jérôme, avec qui je commençais à avoir des atomes crochus, s'était détourné de moi.

Alors, soudainement, la raison de tout cela me sautait aux yeux. Je n'étais pas normale.

Ton bonheur servait de miroir à mon malheur.

Mais au-delà de tout ça, au-delà de la jalousie et de la mesquinerie, une chose demeure. Toi, Gabrielle. Ton amitié. J'ignore si tu sais à quel point tu m'as aidée en me permettant, de temps en temps, de me vider le coeur. Et en étant là. Simplement de te voir manger, c'est incroyable, mais ça m'a donné du courage. Combien de fois, après t'avoir vue prendre un morceau de pain, me suis-je dit: «Gabrielle en a pris. Je suis capable d'en prendre, moi aussi.»

Eh bien là, à partir de demain, je vais en prendre, du pain! Et de tout ce qu'ils voudront me faire manger à l'hôpital. Parce que, fais-moi confiance, je serai là pour ton retour. Tu connais ma légendaire volonté de fer...

Je t'embrasse,

Frédérique

Au verso de la dernière page, Fred avait dessiné. Elle avait tracé son portrait, telle qu'elle était... avant. Mais son regard était rempli de terreur, sa bouche entrouverte comme pour un appel à l'aide, ses mains crispées sur les barreaux horizontaux d'une drôle de prison.

J'y ai vu une cage thoracique.

Epilogue

L'arrivée

Aéroport de Dorval, le 28 août

Combien de fois, à Vancouver, ai-je relu cette lettre! Et je me perdais encore dans ce dessin, il y a tout juste quelques minutes, tandis que l'avion amorçait sa descente vers Dorval.

Finalement, le Boeing s'immobilise. Terminus, tout le monde descend! Je me lève, ramasse mes affaires, quitte l'avion. Et, comme dans un rêve, j'avance dans les couloirs de l'aéroport. Ils n'en finissent pas de défiler. Un véritable labyrinthe! Impatiente, mais anxieuse, je serre les dents au fur et à mesure que je sens l'issue approcher. Pas que je craigne le Minotaure: j'ai affronté bien pire!

— Gabrielle!

Mon coeur s'arrête. Mes pieds également. Je me retourne brusquement, pour recevoir Francis tout contre moi. Il est là! Aussi merveilleux que dans mes rêves. Plus encore. Il m'a tellement, tellement manqué. «L'amour comme s'il en pleuvait», a écrit Cabrel. Et là, il en pleut tant, que je me noie dedans.

— Je t'aime.

Nous le disons en même temps. Nous pouvons donc faire un voeu. Je sens qu'il sera identique.

Mais tranquillement, insidieusement, l'inquiétude que j'avais jusqu'ici réussi à maîtriser parvient à desserrer ses liens. J'ai de plus en plus de difficulté à ne pas la laisser transparaître. Malgré moi, mes yeux se fixent quelque part derrière l'épaule de Francis. Personne. Enfin, beaucoup de monde, mais pas celle que j'espérais.

Francis sent mon malaise. Il me serre un peu plus fort. Geste d'impuissance?

— Il faut que j'aille chercher ma valise, dis-je au bout d'un moment, en le repoussant tout doucement.

Je m'éloigne de lui, le coeur à la fois léger et lourd. Quand soudain une main se pose sur mon épaule.

— Excuse-moi pour le retard, murmure la voix de Jérôme, tout près de mon oreille. J'avais quelqu'un à prendre en passant.

Il se déplace légèrement vers la droite.

Elle est là, accrochée au bras de mon frère. Oh, pas beaucoup plus grosse qu'à mon départ! Ce sont ses yeux qui ont changé. On y lit son appétit. Son appétit de vivre. Féroce, je crois.

Alors, joue contre joue, nous nous retrouvons enfin. Après une séparation qui a duré beaucoup, beaucoup plus d'un mois. Notre étreinte a la couleur des retrouvailles et, surtout, celle de l'espoir. J'en suis sûre à présent: Frédérique va s'en sortir. Un jour.

— Je te l'ai toujours dit, Gabrielle, me souffle ma meilleure amie en souriant. Je suis de la race des survivants.

Table des matières

Parus à la courte échelle, dans la collection Ado

Ginette Anfousse
Un terrible secret

Chrystine Brouillet
Série Natasha:
Un jeu dangereux
Un rendez-vous troublant
Un crime audacieux

Denis Côté
Terminus cauchemar
Descente aux enfers

Série Les Inactifs:
L'arrivée des Inactifs
L'idole des Inactifs
La révolte des Inactifs
Le retour des Inactifs

Marie-Danielle Croteau
Lettre à Madeleine
Et si quelqu'un venait un jour

Série Anna:
Un vent de liberté
Un monde à la dérive
Un pas dans l'éternité

Sylvie Desrosiers
Le long silence

Série Paulette:
Quatre jours de liberté
Les cahiers d'Élisabeth

Carole Fréchette
Carmen en fugue mineure
DO pour Dolorès

Bertrand Gauthier
La course à l'amour
Une chanson pour Gabriella

Charlotte Gingras
La liberté? Connais pas...
La fille de la forêt

Marie-Francine Hébert
Série Léa:
Un cœur en bataille
Je t'aime, je te hais...
Sauve qui peut l'amour

Stanley Péan
L'emprise de la nuit

Maryse Pelletier
Une vie en éclats

Francine Ruel
Des graffiti à suivre...
Mon père et moi

Sonia Sarfati
Comme une peau de chagrin